JN074396

# NISA・つみたてNISA・iDeCo プロの選び方教えてあげる!

RIA JAPAN おカネ学株式会社
安東隆司 著
イラスト ななし

秀和システム

# はじめに

はじめまして。「おカネ学」にようこそお越しくださいました。

「おかねがく？　って何？」って思いますよね？　何か怪しいですか？

私も最初はそう思いました。でも大まじめに、お金のことを学ぶ学問でおカネ学です。当社の「所長」は、TVや学校で資産運用の解説をしています。私は入社4年目の「りあ」と申します。友人には「りあちゃん」と呼ばれます。勤務先おカネ学は毎日勉強になることばかりで、実はまじめな会社でした！

私が心がけていることは「お客様の最善の利益」です。

さて、世の中には知っているとトクをする事柄って結構多いですよね。逆に言うと知らないと損してしまう……。

お客様はラッキーですよ！　この機会に私が知ってトクするおカネ学をお客様にお教えしますね。

「早く教えてほしい」ですか？　お客様は、熱心でイイですね！

これから、最近よく聞く、トクする制度の**iDeCo(イデコ)、NISA(ニーサ)、つみたてNISA**のこと、詳しく教えちゃいます。

普通よりも有利な制度なんですよ！　「使わない手はないッ」ってくらいです。うまく使うと、もっとトクできるコツもあります！

最初に、「りあ解釈」(エッヘン)でざっくりと説明すると、

- **iDeCoは将来に備える積み立てで、掛けると所得税等が安くなり、運用で増えた部分の税金もナシです(最強!)! 「個人型確定拠出年金」が正式名称です。**
- **つみたてNISAやNISAは運用で増えた部分の税金がナシです。 NISAは「少額投資非課税制度」ってことです。**

普通の証券口座の場合は、運用で増えた部分に約20%の税金がかかっています。でも、iDeCoやNISA、つみたてNISAを使うと「運用で増えた部分の税金がナシ」にできるんです! 普通よりも20%トクするってコトですね!

どれもすごい制度ですよね? 知っている人は使っています。

えっ? 「個人型確定拠出年金ってどんな意味?」ですか?

個人が毎月決まった(=確定)金額の掛金を掛ける(=拠出)、年金制度ってことです。英語表記のindividual-type=個人型、Defined=確定、Contribution=拠出、pension plan=年金制度の一部を取って、略してiDeCoってニックネームが付いているのです。

えっ? それでも「資産運用って、何だか難しそう……」ですか? 多分大丈夫ですよ! 何にも知らない「箱入り娘」の私でも、今ではお客様にお話しできるようになったんですから。

えっ? 「入社4年目では不安」ですか? 難しい内容や詳しい解説が必要でしたら、「所長」が対応しますので、安心してください! 所長は銀行、証券、信託銀行に長く勤めて、外資系のプライベートバンクで世界の最先端の資産運用の研究を行ってきた人です。所長は、RIA(アール・アイ・エー、Registered Investment Adviser)という、金融商品を販売しないで「中立な立場の資産運用アドバイス」を行う投資助言業を担当しています。

所長はよくこう言っています。「親に勧められるものしか、お客様に勧めない」「我々はお客様にお仕えする、金融執事であるべき」。ちょうど所長が参りました。所長、お客様にごあいさつをお願いします。

# 所長のおカネ学

## 未来の安定した生活を

知っておくとトクをしますが、知らないで損していることが世の中には多く存在しています。勉強している人、教えてくれる人がそばにいる場合にはトクできる場合が多いのです。

最初だけ、少し堅い話ですが、4つのポイントをお話しします。

## ①退職金の原資を作る

日本の退職金制度にはいろいろなメリットがあります。老後の生活を安定して送ってほしいと考える、国の優しいメッセージだと思います。

しかし、その退職金のメリットを享受するためには、「退職金」として受け取る資金がいりますよね？

会社員の人は会社が退職金をくれるかもしれません。しかし転職するために自己都合で退職した場合、退職金が減額されるかもしれません。

**個人事業主の人はサラリーマンと違い、自分で将来に備えないと、受け取る退職金の原資がありません。**

iDeCoを使って、退職金になるお金を貯めましょう。

## ②税制メリットを思う存分利用する

お金を貯めているだけなのに、今払っている税金が安くなるなら、おトクですよね。また、普通ならば払わなければならない税金が、ある制度を使えば納めなくてもよいならば、とってもおトクですよね。

そんな税金の制度を理解すると、**今よりもたくさんお金を増やせる**かもしれません。

## ③私的年金は自分で管理できる

老後の生活費を確保するためには、公的年金だけでは将来の生活に不安を感じる人も増えました。不足分のお金を、今から増やせばよいと思いませんか？　自分で積み立てて、自分で受け取る。そんな自分の未来のための**「じぶん年金」がiDeCoなら可能**です。また、**NISAも使って、お金に働いてもらいましょう！**

## ④金融知識でおトクに資産形成

日本の家計における運用資産は、米国に比べて、とてもリターンが低いという事実があります。

なぜでしょうか？　ひとつの答えは「金融機関に高い費用を払って、リターンを下げている」ことが考えられます。

「金融知識を知らない」ために「高い買い物をしている」としたら、もしかしたらもったいないことをしているかもしれません。

金融機関も営利企業がほとんどです。セールス担当者の目的は、あなたの資産運用を成功させることとは限りません。お客様に高コストを支払ってもらう形が、勤務先の収益確保のために有利なケースがほとんどだからです。

日本では、実践的な金融に対する教育がほとんど行われていません。しかし運用をはじめとする、お金に対する知識を知っていれば、高いコストを払ってリターンを下げることが防止できるのではないでしょうか？

iDeCoやNISA、つみたてNISAなどは有利な制度です。**取引する金融機関、商品を有利に選択することで、リターンが上がる結果につながります。**

「有名だから」、「TVでCMしているから」、「前から取引があるから」、というような理由だけで選ぶよりも、トクする方法を一緒に考えませんか？

本書では、資産運用のプロのアドバイスを学んでいただけます。自分の未来の生活を安心して迎えることができるヒントが盛りだくさんに詰まっています。

知っていれば、きっとトクしていただけると思います。では始めましょう。

## 1 第1章
# NISA・つみたてNISA・iDeCoの「違いと特徴」教えてあげる！



## 2 第2章
# 最強の運用法iDeCoと税金で「トクする制度」教えてあげる！

## 3 第3章 「NISA＆つみたてNISA」教えてあげる！



## 4 第4章 「資産運用のコツ」教えてあげる！

## 5 第5章 「商品の選び方のポイント」「iDeCoにいくら掛けられる」教えてあげる！

6 第6章

# おカネ学がズバリ選別！「カテゴリー別 低コスト運用」教えてあげる！

# 7 第7章 NISA、iDeCoの「金融機関の選び方」教えてあげる！



# 8 第8章 今さら聞けない「年金制度」教えてあげる！

## 9 第9章 運用失敗事例研究と「運用の真実と顧客目線」

1

# 第1章<br>NISA・つみたてNISA・iDeCoの「違いと特徴」教えてあげる！

1-1

# 運用益に税金がかからない制度で20%おトク！

フリーマーケットサイトで品物を売る場合、販売手数料が20%かかるサイトとゼロのサイト、あなたならどちらを選びますか？　フツウはゼロを選びますよね。資産運用でも同様に、利益にかかるコストをなくして約20%トクする方法があるんです！

## フツウより20%トクする制度がある

同じ金額で売っても、販売手数料が違えば手元に残る金額は違います。では資産運用の場合は？　実は投資信託や株式などで運用した場合、儲かった部分（譲渡益）には税金が20.315%[*1]かかります。しかし、**この約20%の税金を納めなくてもイイ制度**があるんです！

譲渡益に税金がかからない[*2]＝非課税の制度が日本にはあります！　それが**NISA**、**つみたてNISA**、**iDeCo（個人型確定拠出年金）**、**企業型確定拠出年金（企業型DC）**、**確定給付型企業年金（DB）**等です。

## 100万円の譲渡益なら手取り額が約20万円も違う！

では、通常の証券口座でフツウに運用した場合と、NISAやiDeCo等の制度を使って運用した場合の違いを具体的に見ていきましょう。

仮に150万円投資した投資信託が、価格が上昇し250万円で売却したとします。儲かった部分は100万円（250万円－150万円）となりますよね。[*3]

しかし、この儲かった100万円を、通常は投資家が全額受け取れるワケではありません。

100万円の儲け（＝譲渡益）には、前述したように「（譲渡）所得税」が20.315%かかるのです。実際の受け取りは、次の金額となります。

---

＊1　復興特別税を含む。
＊2　iDeCoと企業型DCは運用期間中の運用益が非課税。
＊3　売買時の手数料をここでは考慮せず。

**100万円－20万3,150円＝79万6,850円**

では、NISA、つみたてNISA、iDeCo、企業型DC、企業型DB等の非課税制度を使うと、儲けはどうなるのか？　おわかりだと思いますが、100万円－0＝100万円の受け取り、まるっと100万円を手にできます！

NISA、つみたてNISA、iDeCo、企業型DC、企業型DB等の非課税制度なら、同じ運用をしてもトクするということです。資産運用の「必殺ワザ」（「非課税フラッシュ！」（命名byりあ）ですね。すごいと思いませんか？

**非課税ならこんなにおトク!（譲渡所得　100万円事例）**

| | 譲渡所得 | 納税 | 手取り |
|---|---|---|---|
| 課税口座 | 100万円 | 20万3,150円<br>100万円×20.315%＊1 | 79万6,850円 |
| 非課税 | 100万円 | | 100万円 |

＊1　復興特別税を含む　　RIA JAPAN おカネ学作成　©2022 おカネ学（株）

## 有利な制度、使わない手はない！

運用益が非課税な制度は、国が皆さんの資産形成を後押ししてくれているのです。そのメリットに気づいた人はトクしています。つみたてNISAの利用が特に若い世代で増加しています。

- 同じ運用をしても、約20%の税金がかからない制度がある！
- 非課税制度には、NISA、つみたてNISA、iDeCo等がある！
- 100万円の譲渡益ならば、約20万円手取り額が違う！

## 1-2 NISAとはどんな制度？

つみたてNISAと一般NISAってどう違うの？　今さらですが、それぞれの制度をザックリと解説します。制度の詳しい説明は後でしますね！

### NISAには3種類ある

NISAをザックリ説明すると、**NISA口座で運用した利益に税金がかからないという制度**です。

NISAには、「一般NISA」「つみたてNISA」と、2024年以降新規購入できなくなる「ジュニアNISA」の3種類があります。

一般NISAの非課税になる投資枠は年間120万円*1を最大5年間、非課税で保有できます。つみたてNISAの非課税枠は年間40万円で、最大20年間非課税で保有できます。ジュニアNISAの非課税枠は年間80万円で、最大5年間非課税で保有できます。

### 2024年から一般NISAが新しくなる

2024年*2以降は一般NISAの制度が「2階建て」に変わります。

1階部分の非課税投資枠は年間20万円までで、投資対象はつみたてNISAと同じで「金融庁が認めた投資信託等」が対象になります。

2階部分の非課税枠は年間102万円で、投資可能商品はこれまでの一般NISAと同じく上場株式(外国株含む)、ＥＴＦ（イー・ティー・エフ）、REIT（リート）など*3広範囲です。2階部分を利用するには、原則として1階の積立投資を行うことになっています。

一般NISAとつみたてNISAの口座を開けるのは従来20歳以上でした。

---

*1　2024年からの新しいNISAでは年間122万円、P.17図表参照。
*2　2024年からの新しいNISA制度からのさらなる制度拡充も検討されている。
*3　ETF：上場投資信託、REIT：不動産投資信託

2023年1月からは、新しいNISAもつみたてNISAも対象が18歳以上に変わりました。

なお、積立投資はつみたてNISAだけでなく、一般NISAでも実は可能です。**つみたてNISAと一般NISAは、その年でどちらかを選ぶ必要があります。**両方同時には使えません。今年の利用はつみたてNISA、来年の利用は一般NISAと変更することは可能です。

## つみたてNISAと一般NISA、新しいNISA

| | つみたてNISA<br>20（18[*1]）歳以上<br>2024年以降も存続 | 一般NISA<br>20（18[*1]）歳以上<br>2023年12月まで | → | 新しいNISA<br>18歳以上<br>2024年以降 |
|---|---|---|---|---|
| 非課税保有期間 | 20年間 | 5年間 | | 5年間 |
| 年間非課税枠 | 40万円 | 120万円 | → | 2階部分：102万円<br>1階部分：20万円 |
| 投資可能商品 | 長期・積み立て・分散投資に適した一定の投資信託<br>※金融庁への届出が必要[*2] | 上場株式・ETF・公募株式投信・REIT等 | | 2階部分：上場株式・ETF・公募株式投信・REIT等<br>1階部分：つみたてNISAと同様 |
| 買付方法 | 積立投資<br>（累積投資契約に基づく買付のみ） | 通常の買付・積立投資 | | 2階部分：通常の買付・積立投資<br>1階部分：つみたてNISAと同様 |

＊1　2023年1月からは18歳以上
＊2　金融庁への届出が必要なのは投資を届け出る投信会社などで、投資家から届出不要。投資対象は金融庁が認可した商品に限定。
参考：金融庁　NISA特設ウェブサイト「NISAとは？」より一部データを抜粋、RIA JAPAN加筆

・NISA枠で運用した利益には税金がかからない！
・2024年からは2階建ての新NISAになる（予定）

1-3

# つみたてNISAで コツコツ資産作り

つみたてNISAは、これからお金を貯めたい、「資産形成」を目指す人に適した制度です。資産形成目的で運用を始める時、どの商品を選んだらよいか、見当がつかない人は、選択肢が限られたつみたてNISAを使ってみてください！

## つみたてNISAで初心者の投資を後押し！

つみたてNISAはどんな制度でしょうか？　銀行や証券会社を監督する、「金融庁」（エラい人）が、コツコツ資産を作りたい20歳以上の人（制度スタート当初）に、気軽に投資を始めてもらうために2018年1月からスタートした制度です。2023年1月からは18歳以上の人も使えるようになりました。

1年に使える非課税の投資枠は40万円、非課税期間は20年間です。**40万円×20年間＝800万円まで非課税で運用できる**ということですね！

でも運用が非課税でできて、非課税の投資枠が決まっているため、1人1口座のみとなっています。口座開設には少々時間がかかりますが、将来のメリットのために、そこはガマンしてくださいね！

## つみたてNISA商品選別のキーワードは「長期・積み立て・分散投資」

つみたてNISAがスタートする前には、投資信託は5,400本以上もありました。投資初心者がこの中から自分で投資する商品を選ぶのは大変ですよね？　そこで、金融庁が、つみたてNISAの対象の商品を絞って登録制にしました。商品選別のキーワードは「長期・積み立て・分散投資」で、これに適した株式の公募投信などが投資の対象になります。

選ばれた対象は当初わずか約150本程度でしたが、2022年7月29日時点では214本となっています。

内訳は、インデックス型の投資信託が184本、アクティブ型の投資信託が23本、ETF(上場投資信託)が7本となっています(インデックス型やアクティブ型、ETFなどについては後ほど詳しく説明します)。

どんな条件で選ばれているかということを、とてもザックリお話しすると、

- **投資にかかる費用が安いこと＝低コスト**[*1]
- **投資をスタートする時に、購入時の手数料がかからない＝ノーロード**
- **毎月、分配が行われるものは除外**
- **期間が20年以上、または期限が決まっていない＝長期運用**

つみたてNISAだけでなく、その他の運用でも「**低コスト**」や「**ノーロード**」、「**長期運用**」は重要で、資産運用に取り組む重要なキーワードなんですよ！

## 長期・積み立て・分散投資に適したつみたてNISA

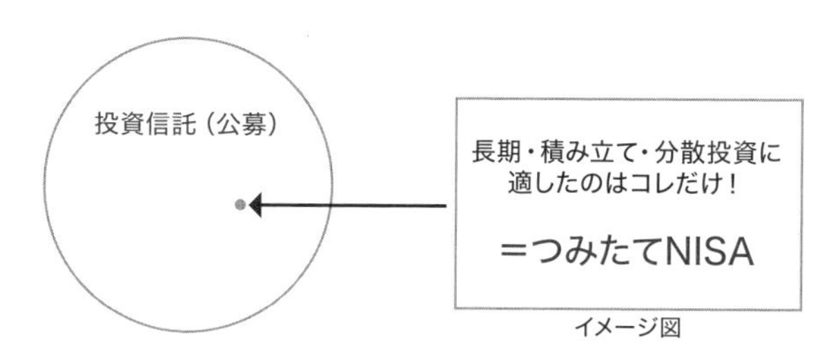


イメージ図

RIA JAPAN おカネ学作成　©2022 おカネ学（株）

- つみたてNISAなら、対象が限られ選びやすい！
- これから資産形成するなら、つみたてNISAを使って！
- 「低コスト」「購入時手数料なし」「長期投資」は重要なキーワード

ここがポイント！

*1　金融庁の基準　①国内資産を対象とするものは信託報酬：0.5%以下(税抜)、②海外資産を対象とするものは信託報酬：0.75%以下(税抜)

1-4

# 実はNISA(一般) のほうが非課税枠が大きい!

**つみたてNISAは何に投資するのかが選びやすくなっていました。でも1年当たりの非課税枠は40万円。これからお金を貯める人にはよいけれど、まとまったお金を運用するなら、120万円の非課税枠のある一般NISAがおすすめです。**

## まとまったお金で、ちょっと中級者なら一般NISA

使える商品が決まっているつみたてNISAはとても選びやすいので、これからお金を貯める人にとって、とてもイイ制度です。

NISAは運用で儲かった部分が非課税で、「つみたてNISA」と「(一般) NISA」、2024年以降、新規購入できなくなる「ジュニアNISA」の3種類があります。1-2で述べたように、非課税の上限金額がそれぞれの制度で決まっています。18歳以上の人*1は、その年に、一般NISAかつみたてNISAのどちらか選びます。両方は選べないんです! ふたまた交際禁止です!!

つみたてNISAの非課税枠は年間40万円です。40万円を超える運用なら、一般NISAを使ったほうがおトクです! なんと! 1年間あたり120万円*2の非課税枠があります! 120万円ずつ5年間の運用ができるんですよ!

## つみたてNISA総額800万円とNISA総額600万円で比較しない

**一般NISAは120万円×5年間=600万円まで非課税で運用**できます。**つみたてNISAは40万円×20年間なので総額800万円が非課税**になります。

非課税の金額だけを単純に比較して、総額800万円のつみたてNISAのほうが、総額600万円の一般NISAよりも非課税額が多いと思うのは、よくある勘違いです。当初の5年を比較すると、一般NISAの非課税枠は600万円、つみたてNISAの非課税枠は200万円だけです。

---

＊1 2022年12月以前は20歳。
＊2 2024年からの新しいNISAでは年間122万円、P.17図表参照。
＊3 2024年からNISA 122万円×5年=610万円、20年でつみたてNISA併用合計額は1,210万円になる。

じつは、一般NISAを使い終わった後で、つみたてNISAを始めることができます。つまり一般NISAの非課税枠終了後、つみたてNISAの非課税枠、年間40万円を続けて利用できます。ですから、まとまった資金の運用が可能なら、まず一般NISAを使うことが、非課税枠を最大限に使う「裏ワザ」なんです。

## 一般NISA+つみたてなら1,200万円使える「裏ワザ」！

一般NISAの5年間利用で120万円×5年＝600万円[*3]の非課税枠で運用可能です。その後、つみたてNISAを利用すると年間40万円×15年間でさらに600万円の非課税枠利用が可能です。

つまり600万円＋600万円の合計1,200万円を非課税枠で運用することが、実は可能です。つみたてNISAの非課税枠800万円よりも大きな金額です。

NISAでは、コスト安の海外ETFなどを非課税枠活用し運用可能です。自分で投資商品を選択できる中級者の人なら、一般NISAがとてもおトクです！

**一般NISA+つみたてNISA**

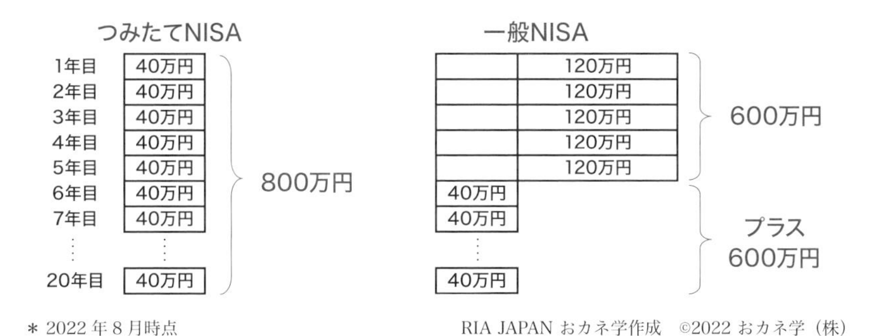


＊ 2022年8月時点　　RIA JAPAN おカネ学作成　©2022 おカネ学（株）

- 一般NISAは1年あたり120万円の非課税枠がある！
- 一般NISAの利用終了後、つみたてNISAを使うことも可能！
- 一般NISAならETFなど、投資対象がいろいろ選べる！

# 1-5 iDeCo、企業型DCのメリット

税制面でおトクな資産運用法には、iDeCo（個人型確定拠出年金）や企業型確定拠出年金（企業型DC）もあります。ここでそれぞれの違いをざっくり理解しておきましょう。

## iDeCo、企業型DCは「私的年金」

iDeCoは、「individual-type Defined Contribution pension plan」の略語で、日本語表記は、「個人型確定拠出年金」です。つまり、自分で掛金（かけきん）を拠出（きょしゅつ）し、運用方法を選んで掛金を運用して、60歳以降に年金として受け取る「私的年金」です。掛金を事業主が拠出するものを、企業型確定拠出年金（企業型DC）と言います。

iDeCoは基本的に20歳以上65歳未満[*1]の人が加入できますが、企業型確定拠出年金は、勤務先に制度があり、加入が認められた人が拠出可能です。

## iDeCoと企業型DCには税制上のメリットがたくさんある

iDeCoと企業型DCのメリットは下記になります。

**①運用益に税金がかからない（※iDeCoと企業型DCは運用期間中）**
**②掛金が全額所得控除（しょとくこうじょ）の対象になり、所得税、住民税が安くなる（企業が拠出した金額は全額損金に算入）**
**③受け取る時にも控除が受けられる**

①はNISA、つみたてNISAも同様ですが、②③はiDeCoと企業型DCだけのメリットです。

運用益が非課税になるだけでなく、所得税・住民税が安くなるメリットも

＊1　iDeCo加入者で60歳までのケースあり。詳細は2-11。

得られるなんてスゴイ！　と思いませんか？　所長サンが「iDeCoは最強の運用法だ！」とTVなどでも言っている理由がここにあります。

運用益非課税の「非課税フラッシュ！」の上を行くさらに奥の手、これこそが究極の攻撃魔法「エクスプロージョン！」級の最強の運用法です。

**企業型DCとiDeCoの税制度**

| | 企業型DC | iDeCo |
|---|---|---|
| 拠出時 | 非課税<br>■事業主が拠出した掛金：全額損金算入<br>■加入者が拠出した掛金：全額所得控除（小規模企業共済等掛金控除） | 非課税<br>■加入者が拠出した掛金：全額所得控除（小規模企業共済等掛金控除） |
| 運用時 | ■運用益：運用中は非課税<br>■積立金：特別法人税課税（現在、課税は停止されています） | |
| 給付時 | ■年金として受給：公的年金等控除<br>■一時金として受給：退職所得控除 | |

出典：厚生労働省 HP「確定拠出年金制度の概要」より一部抜粋し、RIA JAPAN 作成
(https://www.mhlw.go.jp/stf/seisakunitsuite/bunya/nenkin/nenkin/kyoshutsu/gaiyou.html#205)

## iDeCoの注意点

iDeCoを利用する際の注意点（デメリット）にも触れておきましょう。とはいえやはりiDeCoの税金メリットは大きいので、使わない手はありません！

- 原則60歳まで資金をおろせない
- 非課税枠が一般NISAの120万円よりも小さい
- 元本確保型を選択すると、投資元本割れする場合がある

**・iDeCoは自分で掛金を拠出し、自分で運用する「私的年金」**
**・所得税・住民税が安くなり、運用益も非課税のiDeCoは「最強の運用法」！**

1-6

# NISA、つみたてNISA、iDeCo、どれを使う？

iDeCo、企業型DCでも運用益非課税ということがわかりました。一般NISA、つみたてNISAも非課税でした。アセット・ロケーションという、資産の置き場所が実は重要です。メリット・デメリットを比較してみます。

## アセット・ロケーション=どこで運用するか

外国株70%、日本株30%というふうに資産の配分を決めることを**アセット・アロケーション**(asset allocation)と言います。資産(asset)を割り当てる、配置する(allocate)ことです。日本でも時々聞く言葉です。

一方、どこで運用するかを、**アセット・ロケーション**(asset location)と言います。同じ商品でも非課税口座と、それ以外の置き場所(location)によって運用成果が異なる場合がありますね。iDeCoや企業型DC、NISA、つみたてNISAなどの非課税制度をロケーションとして積極的に利用することが最も重要です。ではそれぞれの制度のメリット比較をしてみます。

## 税効果ならiDeCo、企業型DC

まず、**所得控除の効果があるのは、iDeCoと企業型DC**です。**運用益が非課税**[*1]**になるのはiDeCo、企業型DC、NISA、つみたてNISA**です。税効果ではiDeCoと企業型DCが圧倒的なメリットを持っているといえるでしょう。

外国株式59%を55%にするため、4%を売却し外国債券を買うといった、アセット・クラス(asset class：投資対象資産の種類)の変更の場合も、iDeCoや企業型DCならコストを気にする必要はありません。売買を何回しても非課税で、乗り換え時に手数料が原則かからないからです。iDeCoや企業型DCが最強の運用法といわれる理由がここにも表れています。

---

*1　iDeCoと企業型DCは運用期間中の運用益が非課税。

メリットの大きさではiDeCo等ですが、金融機関や商品選びにコツが必要です（後ほど第5章・第6章・第7章をしっかり理解すれば大丈夫です）。

つみたてNISAの商品ラインナップについては、厳しい商品基準から選ばれた投信等が並んでおり、従来よりも圧倒的に選びやすくなっています。

iDeCoのデメリットは原則60歳までおろせないことです。無理のない範囲で存分にiDeCoを活用してくださいね。

**ボーナス等まとまった資金は、120万円*2の非課税枠の一般NISAの活用を検討します。**なお、つみたてNISAとの同一年度での併用はできません。

## iDeCo、NISA、つみたてNISA、一般口座、どれを使う？

| | 個人型確定拠出年金 iDeCo（イデコ） | 少額非課税投資制度 NISA（ニーサ） | 少額非課税投資制度 つみたてNISA | 通常の証券口座等 |
|---|---|---|---|---|
| 所得税　減税効果 所得控除有無 | ○ 掛金　所得控除 | × | × | × |
| 運用益コスト 税金　非課税有無 | ○ 運用益非課税 | ○ 運用益非課税 | ○ 運用益非課税 | × |
| アセットクラス変更 変更コスト・機動性 | ○ 運用益非課税 | △ 非課税枠消化 | △ 非課税枠消化 | × |
| 積み立てによる資産形成 | ○ 毎月積み立て | △ 積み立て制度利用 | ○ 毎月積み立て | △ 積み立て制度利用 |
| 投資信託の選びやすさ | △*1 コスト安選べる | △ コスト安選べる | ○ 高いコスト排除済み | × |
| 100万円単位のボーナス運用 | × 毎月積み立て | △ 年間120万円まで | × 毎月積み立て | ○ 金額制限なし |
| 解約・資金の引き出しやすさ | × | △ 非課税枠消化 | △ 非課税枠消化 | ○ |
| 海外ETF・個別株利用可能性*2 | × | ○ 海外ETF・個別株*2 | × | ○ 海外ETF・個別株*2 |

＊1　企業型確定拠出年金利用者は、ほぼiDeCoと同じだが、勤務先の商品ラインナップからしか選べない
＊2　海外ETF、外国株式等を取り扱っている金融機関を選択した場合

RIA JAPAN おカネ学作成　©2022　おカネ学（株）

・**税制メリットあるならばiDeCoで将来に備えて資産形成！**
・**まとまった資金は非課税枠が大きな一般NISAの活用を**

＊2　2024年からNISA上限122万円。

# 1-7 ズバリ！　どれを選ぶべきか教えてあげる！

非課税でトクする制度、イロイロあることがわかりました。どれを選んだらよいのかわからない人も多いでしょう。せっかくなので、自分にあった制度を選びたいですね。ズバリ！　どれを選んだらよいのか、お教えしますね。

## 有利な制度優先順位、まず年間運用額が40万円超かどうか？

NISAやiDeCoなど有利な非課税制度ですが、自分にあった有利な方法を使いたいですよね。どれを選んだらよいか、順に整理をしてみます。

同じ非課税制度でも、年間40万円超の運用をしたい場合には、つみたてNISAではなく、一般NISAを選んでほしいです。これまで述べてきたように、非課税枠が1年で約80万円*1も違うんですよ。つみたてNISAのほうが商品を選びやすいというメリットはあります。しかしじつは一般NISAの枠で、つみたてNISAの対象商品を選ぶこともできるんです。なお、NISA制度では年齢は関係ありません。60歳以上でも100歳以上でも利用可能です。

退職金の運用でもNISA、つみたてNISAを利用することができます。

## 加入できる人はiDeCoや企業型DCを使って！

次に確定拠出年金（DC）制度に加入できる人は、ぜひ使ってほしいです。なぜならば、DCは「最強の運用法」だからです（詳しくは1-5を参照）。

会社員等は全員がiDeCoに加入できる制度に変更されます。従来、企業型DC制度を利用している場合は、iDeCoをほとんど併用できなかったのですが、2022年10月、2024年12月に制度改正され、会社員等の全員加入が可能になりました。

---

＊1　2024年以後は、122万円－40万円に（詳細は1-2、3-7を参照）。

DC掛金額を決める時の注意点は、「60歳、65歳までおろさない資金の範囲で」です。

## 生活費取り崩しが必要なら、「積み立て」ではない

退職金の運用でつみたてNISAを利用するという話も聞きます。積み立てることで、投資タイミングを複数にする「時間分散」になるという考え方もあるでしょう。

しかし、老後の資金として、資産の取り崩しが必要な場合もあるでしょう。今ある資金を、どう取り崩すかを考えなければならないのに、毎月積み立てを行うというのは反対の行動ですよね。

また、退職金で積み立てをするのはもったいない側面があります。年間40万円しか非課税の枠が使えないため、残りの資金は資産運用に回っていないケースが考えられるからです（投資機会の損失）。

まとまった資金の運用は、積立投資よりも一括投資のほうがリターンが高いという見解もあります。一度に投資を行うことがどうしても心配だったら、3回などに分けて投資する方法もあります。

退職金運用で時間分散を考えて積み立てを行うことは、長く投資を行う金額が減少することでもあります。価格が上昇するものに投資するならば、投資の期間を長く取るほうが高いリターンになり、投資機会損失（投資しない期間）を防ぐことができます。

積み立ては確かに計画的な資産形成に有効ですが、退職金の運用の場合には、積み立てでない方法で運用するほうが効率的だと考えられるのです。

## 非課税制度 まずこれを考えて!チャート

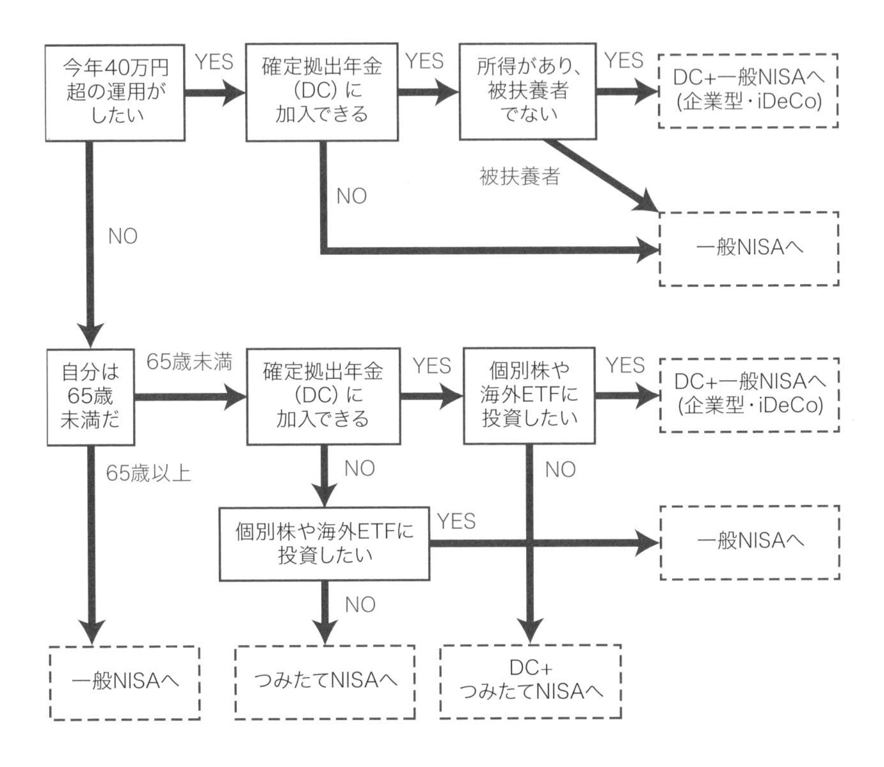


RIA JAPAN おカネ学作成　©2022　おカネ学(株)

・非課税検討、運用金額は40万円超なら、一般NISAを!

・加入できるなら、DC(企業型、iDeCo)は最強の運用法!

2

# 第2章
# 最強の運用法iDeCoと税金で「トクする制度」教えてあげる!

2-1

## iDeCoのメリット①
# 運用益に税金がかからない！

**20%トクする方法があります。通常の証券会社での運用では、運用して得た利益に20%の税金がかかりますが、iDeCoではゼロ。iDeCoの大きなメリットの1つです。**

### 運用益非課税で手取り額が20%おトク

第1章でもお話ししたように、株式や投資信託等に投資して、運用でトクした場合(運用益)、普通は20%の税金が取られます(厳密には2037年までは復興特別所得税がかかり、2022年現在は20.315%の税率です。ここでは簡易的に20%を用います)。

仮に投資信託で60万円の運用益があったとしても、その20%、12万円は税金で納めることになります。

### iDeCoやNISA、つみたてNISAは運用益非課税

ところが、**iDeCoやNISAを使って運用すると、運用益が非課税**ですから、まるまる60万円の儲けを得ることができます。これは運用の方法の中では最強のワザの1つだと思いませんか？（非課税フラッシュ！ byりあ）

### 課税の証券口座と比べてみると

同じ投資信託Aへの投資で、一般的な課税口座と、非課税口座利用を比較してみます。図表の右の欄、通常課税の証券口座等での税金の計算は、60万円×20%＝12万円。12万円を納める必要があります。

これに対し、iDeCoやNISAは運用益が非課税です。12万円の税金が不要ですので、通常の証券口座等より12万円手取り額が増加するわけです。

## 運用益のメリット：iDeCo、NISA（つみたてNISA）、課税口座の比較

| | 個人型確定拠出年金 iDeCo（イデコ） | 少額非課税投資制度 NISA（ニーサ） | 通常の証券口座等 |
|---|---|---|---|
| 運用益への税金 | 運用益　非課税*1 | 運用益　非課税*1*2 | 運用益　課税 |
| 納税金額 | 0円 | 0円 | 120,000円 |
| メリット金額 | 120,000円 | 120,000円 | 0円 |

＊1　運用益60万円があった場合　20%（所得税15%住民税5%）が非課税の想定／年。2022年現在は復興特別税0.315%があり、20.315%が運用益に課税。iDeCoでは運用期間中が非課税
＊2　つみたてNISAも一般NISA同様に運用益非課税

RIA JAPAN　おカネ学作成　©2022　おカネ学（株）

iDeCoで運用している間にこれが5回起こったとすれば60万円もトクする計算になりますね。

同じ商品を使って運用しても、iDeCoを使うか、NISAを使うか、課税の口座を使うかという選択によって、**手許に残るお金の額に差がある**ことをおわかりいただけたでしょうか。

使える非課税メリットは最大限活用したほうが有利です。税金として取られなかった部分はさらに、次の運用の資金になります。利益が発生するたびに税金を支払う必要がないので、税金分20%ずつ運用資金の差が発生し、結果的に大きな違いになります。

・**iDeCoを使えば、運用益20%が非課税！**
・**一般NISAやつみたてNISAも運用益が非課税**

2-2

iDeCoのメリット②

# 掛金が全額所得から控除され、所得税、住民税が安くなる

**iDeCoのメリットその②は、所得税、住民税が安くなること。掛金(拠出額)を全額、所得から差し引けるという税制上のメリットがあるのです。積み立てをしているのにその分税金が安くなるなんて、すごいと思いませんか?**

## 所得税、住民税が安い。掛金が全額所得控除

iDeCoの掛金は全額が所得控除の対象になります。

例として、企業年金のない会社に勤務する、会社員の場合を考えてみましょう。掛金は月額2万3,000円、年額27万6,000円が上限の場合です。

**この掛金の全部が「所得控除」になります。**

年間の所得(2-6、2-7で解説)が330万円〜694.9万円ならば、**8万2,800円**も税金が安くなります(所得税20%、住民税10%として計算)。

同じ会社に勤務していても、所得が違う上司とは非課税額が変わってきます。所得額が900万円〜1,799.9万円ならば、11万8,680円安くなります(所得税33%、住民税10%として計算)。

## 個人事業主はさらに非課税メリットが大きい

個人事業主の人は、iDeCoのメリットがとても大きいんです。

月額6万8,000円、年額81万6,000円の掛金を掛けることが可能です*1。

所得が330万円〜694.9万円ならば、なんと**24万4,800円**、所得900万円〜1,799.9万円ならば35万880円の税金が安くなります。

しかも1回限りではなくて、**掛けている間、毎年**安くなるんです!

ただし、**iDeCoは原則として60歳になるまでは積立金を取り崩せません。**

---

*1　国民年金を未納・免除を受けている人、農業者年金の被保険者の人を除く。

でも前向きにとらえれば「おろせない」ということもメリットと考えられます。逆に、お金を「おろせない」ので、お金がドンドン貯まりますよね。月々の掛金は5,000円からできます。チリも積もれば山となる。時間を味方にして、自分の資産を作りましょう。

公的年金は掛けた金額分を受け取るわけではありません。しかしiDeCoは自分で掛けた掛金と、その運用成果を受け取る「**じぶん年金**」です。

公的年金だけでは豊かな生活には少々不安だと感じている人に、ぜひiDeCoを使って資産作りをしてほしいと思います。

## iDeCo加入時 拠出可能額別 税額メリット表（一部抜粋）

| 課税所得額 | | ～194.9万円 | 195万円～329.9万円 | 330万円～694.9万円 | 695万円～899.9万円 | 900万円～1,799.9万円 | 1,800万円～3,999.9万円 | 4,000万円～ |
|---|---|---|---|---|---|---|---|---|
| 所得税率 | | 5% | 10% | 20% | 23% | 33% | 40% | 45% |
| 住民税率 | | 10% | | | | | | |
| 合計税率 | | 15% | 20% | 30% | 33% | 43% | 50% | 55% |
| 節税メリット（年額） | 掛金27.6万円/年 企業年金のない会社勤務の場合 | 41,400 | 55,200 | 82,800 | 91,080 | 118,680 | 138,000 | 151,800 |
| | 掛金81.6万円/年 個人事業主の場合 | 122,400 | 163,200 | 244,800 | 269,280 | 350,880 | 408,000 | 448,800 |

例：iDeCo掛金年間27.6万円の人は左の「27.6万円」を選び、所得500万円なら「330万円～694.9万円」と交差した「82,800」円が概算節税額、900万円～1,799.9万円なら「118,680」円が概算節税額となります。iDeCoの掛金は他に様々なパターンがあります。本表はその一部です。

※復興特別所得税は考慮していません　　RIA JAPAN おカネ学作成 ©2022 おカネ学（株）

- **積み立てた掛金に応じて税金が少なくなる**
- **積み立てが60歳*2までなら、60歳まではおろせない**
- **毎年毎年、税金非課税でドンドン積み立て**

*2　加入期間65歳の場合もある。

2-3

# iDeCoのメリット③ 受け取る時にも控除が受けられる！

iDeCoで積み立てた資金を受け取る時にも、税制のメリットがあります。退職所得控除、公的年金等控除です。個人事業主の人もiDeCoを使えばこのメリットを受けられます。

## 受け取り方法①退職所得控除をiDeCoで活用

iDeCoで積み立てた資金の受け取り方には大きく2種類あり、それぞれ税制のメリットがあります。資金を一括で受け取る「**一時金受給**」では、「**退職所得控除**」が活用できます。退職所得控除や税金は後の2-8で説明しますが、退職金の制度はとても有利です。

もう1つの受け取り方は、複数年にわたって受け取る「**年金受け取り**」で、これには「**公的年金等控除**」(標準的な年金額までは非課税)が活用できます。

iDeCoで積み立てた資金を一時金として受け取る場合は、「勤務年数」がiDeCoの「加入年数」に置き換えられます。

## 退職金は会社業績の悪化や転職により不確実に

勤務先が大企業等で退職金や年金制度が充実している人は、すでに退職金予定額が退職所得控除額を上回る場合もあり、iDeCoでの控除の上乗せ効果がない場合もあります。

しかし、会社が経営危機になったら退職金は大幅減額かもしれません。また転職した場合は「自己都合退職」に退職金の減額規定がある場合、予定していた退職金の満額は受け取れない場合もあるでしょう。iDeCoで活用できる枠があるならば、活用したほうが有利ではないでしょうか。

## 個人事業主が退職金メリットを使うには？

個人事業主の人は、「退職所得控除を利用できる」退職金を、自分から自分には出せません。しかし、iDeCo等の制度を利用すれば可能になります。しかも所得控除になる掛金上限が年間81万6,000円と大きな金額です。

自分の老後の生活のために、自分で決めたり管理できたりする資金（別のサイフ）をiDeCoを使えば作ることができるのです。

## 受け取り方法②公的年金等控除をiDeCoで活用

年金で受け取る場合は、控除額を控除した超過分が雑所得として総合課税の対象になります。国民年金や厚生年金等の公的年金分もiDeCoに合算します。一定額（控除額）を超える部分は、所得額に応じて税金がかかります。

**公的年金等に係る雑所得の速算表（2020年分以後）**

| 年金を受け取る人の年齢 | (a)公的年金等の収入金額の合計額 | (b)割合 | (c)控除額 |
|---|---|---|---|
| 65歳未満 | （公的年金等の収入金額の合計額が600,000円までの場合は所得金額はゼロとなります） | | |
| | 600,001円から1,299,999円まで | 100% | 600,000円 |
| | 1,300,000円から4,099,999円まで | 75% | 275,000円 |
| | 4,100,000円から7,699,999円まで | 85% | 685,000円 |
| | 7,700,000円から9,999,999円まで | 95% | 1,455,000円 |
| | 10,000,000円以上 | 100% | 1,955,000円 |
| 65歳以上 | （公的年金等の収入金額の合計額が1,100,000円までの場合は、所得金額はゼロとなります） | | |
| | 1,100,001円から3,299,999円まで | 100% | 1,100,000円 |
| | 3,300,000円から4,099,999円まで | 75% | 275,000円 |
| | 4,100,000円から7,699,999円まで | 85% | 685,000円 |
| | 7,700,000円から9,999,999円まで | 95% | 1,455,000円 |
| | 10,000,000円以上 | 100% | 1,955,000円 |

※公的年金等に係る雑所得以外の所得に係る合計所得金額が1,000万円以下の場合。1,000万円超は別の速算表

出典：国税庁HP

- iDeCoは将来受け取る時にも有利な控除が使える
- 一時金受給：「退職所得控除」
- 年金受取：「公的年金等控除」

2-4

# iDeCoのメリット④
# 元本確保型商品もある！

iDeCoには掛金全額所得控除の他、NISAにはないメリットがあります。「元本確保型商品」です。投資が怖い人も始めやすいですね。ただし手数料等で元本割れすることもあります。

## 元本確保型商品もある！

今まで投資なんかやったことがない（未経験）、今までの投資でトクしたことがない（成功体験なし）、投資の知識がなく選ぶ商品がわからない（金融知識不足）等の理由で、投資は嫌だという考え方の人もいるでしょう。

そんな人には**元本確保型商品**（がんぽん）を選択するという方法があります。

iDeCoには「定期預金」や「確定拠出年金保険」といった元本確保型商品があります。NISAやつみたてNISAは「少額投資非課税制度」です。投資が前提ですから、株式や、投資信託といった投資商品が運用の対象です。元本確保型の預金や保険商品はNISAにはないわけです。

iDeCoは年金制度ですから、元本確保型の商品もラインナップに含まれています。所得控除のメリットを利用するために、iDeCoに加入して元本確保型商品に資金を充てるという選択をすることができます。

## iDeCoで元本確保型でも元本割れはある

ただし、iDeCoで元本確保型を選択しても、拠出した金額を割り込むことが絶対にないとはいえません。なぜなら、iDeCoの利用には手数料がかかります。また、商品を変更して預け替える「スイッチング」を行った場合にも費用がかかる場合があるからです。

iDeCoで「手数料無料」と広告されている場合、それは金融機関（運営管理機関）の「口座管理手数料」等の手数料です。

iDeCoには、それ以外にかかる手数料が大きく2つあります。

## iDeCo関連の手数料

| iDeCo関連の手数料 | 年額(円) | ポイント |
|---|---|---|
| 加入時手数料(初回1回のみ) | 2,829～ | 2,829円は共通の費用 |
| 国民年金基金連合会 | 105(月)/1,260(年) | 105円は1回あたり |
| 事務委託先金融機関 | 66（月）/792（年） | 毎月発生 |
| 運営管理機関(金融機関：証券、銀行、保険、ろうきんなど) | 例　0～5,280 | 個人で金融機関を選ぶ<br>選ぶ金融機関で金額が異なる |
| 給付事務手数料（受取時） | 例　440～5,280 | 年1回～毎月受け取りの例。385円設定もあるが運営管理機関手数料が0円でない事例も |

※データはすべて一例。すべての金融機関を網羅したものではありません

RIA JAPAN　おカネ学作成　©2022　おカネ学（株）

**①初回・移換手数料：国民年金基金連合会向け　2,829円**
**②毎月の手数料：国民年金基金連合会　105円、事務委託先金融機関66円、計171円／月、2,052円／年**

上記の2つは必ずかかる手数料ですから、元本確保型の利息や配当金がこれを下回れば、掛金の元本保証は実質的にされていないことになります。

また、保険型では商品を変更して預け替える「スイッチング」を行った際に、解約控除額という費用がかかる場合があります。この額がそれまでに受け取った利息よりも多いことも考えられます(元本割れとなる)。

それでも「掛金の全額所得控除」のメリットが圧倒的な人がいると思います。必ずかかる数千円程度の手数料で元本割れしても、所得控除メリットが大きい人はiDeCoの利用を検討してください。運用益非課税メリットが小さい預金や保険といった元本確保型であっても、ぜひiDeCoを使ってください！

- **iDeCoにはNISAにない元本確保型商品がある！**
- **元本確保型商品でも、手数料考慮等で元本割れの場合も**
- **所得控除メリットが大きい人はiDeCoを使って！**

2-5

## iDeCoのメリット⑤ 966万円貯まる? スタートは若いほどおトク!

30歳の人が今iDeCoを始めれば、966万円貯めることも夢ではありません。900万円って、大きな金額ですよね。しかも、税金で毎年払っている部分の行き先を変えることで積み立てられる、それがiDeCoです。

### 会社に年金制度がない29歳の人、966万円貯めましょう

iDeCoの掛金は人それぞれです。掛金金額には下記の図の代表的な4つのパターンがあります。会社勤め(給与所得者)か、個人事業主かどうか等で、1年に掛けられる掛金の上限額が変わってきます(第5章に詳細)。

年金制度がない会社*1に勤務していて、毎年の拠出限度額が27万6,000円可能だとします。29歳の人は65歳まで、丸35年間の期間がありますね。すると、総額966万円が拠出可能になります。

**iDeCo加入時の拠出限度額別拠出可能総額**

| 拠出額(年額) \ 加入期間 | 20歳 45(40)年間 | 30歳 35年間 | 40歳 25年間 | 50歳 15年間 |
|---|---|---|---|---|
| 81.6万円 | 32,640,000 (40年) | 28,560,000 | 20,400,000 | 12,240,000 |
| 27.6万円 | 12,420,000 | 9,660,000 | 6,900,000 | 4,140,000 |
| 24.0万円 | 10,800,000 | 8,400,000 | 6,000,000 | 3,600,000 |
| 14.4万円 | 6,480,000 | 5,040,000 | 3,600,000 | 2,160,000 |
| 例:iDeCo掛金年間27.6万円の人は左の「27.6万」円を選び、年齢が30歳ならば重なったところの「966万」円となります。 | | | | |

※65歳まで加入した場合。65歳まで加入できる場合とできない場合が存在する
※60歳以上の第1号・第3号被保険者は国民年金保険任意加入でiDeCo年額81.6万円拠出可能
ただし国民年金保険料を480か月(満期)納付時は任意加入不可(iDeCoも不可)
RIA JAPANおカネ学作成 ©2022おカネ学(株)

*1 年金制度がない会社:企業型DC/DB、確定給付企業年金、厚生年金基金に加入していない場合。
*2 1962年5月1日以前に生まれた方は別途手続き必要等、様々なケースがある。

276,000円×35年間＝9,660,000円

iDeCoの加入期間は、サラリーマン等第2号被保険者は原則65歳*2まで、自営業者や専業主婦(夫)等第1・3被保険者は任意加入被保険者となれば65歳まで延長できるようになりました(2022年5月改正)。

## 39歳の個人事業主の人、2,040万円貯めましょう!

国民年金(基礎年金)に加入している個人事業主の人で、毎年の拠出限度額が81万6,000円可能だとします。39歳の人は65歳まで、丸25年間の期間があり、65歳まで任意加入が可能な場合だとすると、**816,000円×25年間＝20,400,000円**、総額2,040万円が拠出可能です。

## 自営業の人の年金、ベースは約6万4,816円

自営業で個人事業主の人にiDeCoのメリットが大きいのには理由があります。年金制度の詳細は後ほどお話ししますが、厚生年金の上乗せがある給与所得者に比べ、国民年金(老齢基礎年金)にしか加入していない自営業者や個人事業主は年金の受取額が一般的に少なくなります。

サラリーマン世帯*3が受け取る年金が1人当たり月に約11万円です。

ところが、個人事業主等国民年金加入者が受け取れる金額は約6万4,816円／月*4となっています。

自営業者や個人事業主が老齢基礎年金に任意で上乗せする、年金の1つの選択肢としてiDeCoがあります。国としては個人事業主の人に安心して老後の生活を送ってもらうためにも、iDeCo等を利用して将来の年金を積み立ててほしいと考えているわけです。

- 給与所得者で35年加入すると966万円拠出可能な例も
- 個人事業主で25年加入すると2,040万円拠出可能な例も
- 個人事業主は老後の生活のための備えを

ここがポイント!

＊3　年金制度がない会社：企業型DC/DB、確定給付企業年金、厚生年金基金に加入していない場合
＊4　出典：厚生労働省「令和4年度の年金額改定についてお知らせします」2022年1月21日

2-6

# 会社員の所得の出し方、収入と所得の違い教えます

会社勤めの人は給料をもらっています。その収入の全部が税金の対象ではありません。会社勤めの人にも会社に着ていく服とか、靴とか必要ですよね？　そのような費用＝控除が認められているからです。

## 今さら聞けない、「収入」「経費」「所得」って何?

カフェの経営者になったつもりでイメージしてください。お客様からもらった代金＝売上金額(収入)のすべてが利益ではないですよね？　紅茶やケーキの仕入れ代金や、お皿やフォークも必要です。アルバイト代も支払う必要があります。これらが経費です。売上から経費を差し引いて、残ったものが利益(所得)です。その利益に対して税金がかかっています。

## 会社員の給与、収入、控除、所得

会社員(給与所得者)の場合を考えてみます。給与やボーナスでもらったお金が収入です。支出はたとえば食費や携帯電話料金、家賃や水道・電気・ガス代や衣類を買うお金等です。会社員にも、靴やスーツやベルトといった必要な出費があります(経費相当)。収入すべてが税金の対象にはなっていません。給与所得控除という制度があり、年収に応じて控除がいくら、というように決まっています(給与所得者の場合、給与所得控除の他に特定支出控除もありますが、本書では解説しません)。では所得はどうでしょうか。

## 会社員(給与所得者)の所得の出し方

毎年12月頃に会社から受け取る「給与所得の源泉徴収票」を見てください。図のⒶ－Ⓑが所得です。**Ⓐ給与所得控除後の金額から、Ⓑ所得控除後の金額を引いた金額**です。所得の出し方、実は簡単でしたね。

## 会社勤めの人の所得の出し方

令和　　年分　**給与所得の源泉徴収票**

| 支払を受ける者 | 住所又は居所 | | (受給者番号)<br>(個人番号)<br>(役職名)<br>氏名 (フリガナ) |
|---|---|---|---|

| 種別 | 支払金額 | 給与所得控除後の金額 Ⓐ | 所得控除の額の合計額 Ⓑ | 源泉徴収税額 |
|---|---|---|---|---|
| | 内　千　円 | 千　円 | 千　円 | 内　千　円 |

| 控除対象配偶者の有無等 | | 老人 | 配偶者特別控除の額 | 控除対象扶養親族の数（配偶者を除く。） | | | | | | 16歳未満扶養親族の数 | 障害者の数（本人を除く。） | | | 非居住者である親族の数 |
|---|---|---|---|---|---|---|---|---|---|---|---|---|---|---|
| 有 | 従有 | | | 特定 | | 老人 | | その他 | | | 特別 | | その他 | |
| | | | 千　円 | 人 | 従人 | 内　人 | 従人 | 人 | 従人 | 人 | 内　人 | | 人 | 人 |

| 社会保険料等の金額 | 生命保険料の控除額 | 地震保険料の控除額 | 住宅借入金等特別控除の額 |
|---|---|---|---|
| 内　千　円 | 千　円 | 千　円 | 千　円 |

（摘要）

| 生命保険料の金額の内訳 | 新生命保険料の金額 | 円 | 旧生命保険料の金額 | 円 | 介護医療保険料の金額 | 円 | 新個人年金保険料の金額 | 円 | 旧個人年金保険料の金額 | 円 |
|---|---|---|---|---|---|---|---|---|---|---|
| 住宅借入金等特別控除の額の内訳 | 住宅借入金等特別控除適用数 | | 居住開始年月日(1回目) | 年　月　日 | 住宅借入金等特別控除区分(1回目) | | 住宅借入金等年末残高(1回目) | 円 | | |
| | 住宅借入金等特別控除可能額 | 円 | 居住開始年月日(2回目) | 年　月　日 | 住宅借入金等特別控除区分(2回目) | | 住宅借入金等年末残高(2回目) | 円 | | |

給与所得の源泉徴収票の一部を拡大しています。
上の図のＡの金額からＢの金額を引いた金額が　課税所得額です。
Ａ「給与所得控除後の金額」－Ｂ「所得控除の額の合計額」

出典：国税庁 HP「給与所得の源泉徴収票」

・収入は給料やボーナス等の金額
・会社勤めの人にも必要経費相当の「給与所得控除」制度がある
・収入－控除＝所得、税金は所得にかかる

2-7

# 控除はすごい！　個人事業主等の所得の出し方も教えます

実はサラリーマンでも確定申告している人もいます。控除を使うとおトクです。個人事業主の人の所得の出し方、確定申告した人の所得の出し方を教えちゃいます。

## 控除を知らないと損をする

世の中には知っているとトクになることが多くあります。知っていて、多くは申請（適用）をすることでトクをするわけです。

身近な事柄をいくつかあげます。配偶者控除（はいぐうしゃこうじょ）や扶養（ふよう）控除です。控除自体の意味は「差し引く」という意味です。あなたが結婚することになりました。結婚相手が「配偶者」です。配偶者という言葉に性別はありません。男性でも女性でも結婚相手が配偶者ということです。

## 給料が同じでも控除の利用で税額が減少する

たとえば給料は以前とまったく変わっていなくても、結婚相手が配偶者控除の要件を満たす場合に税金が下がります。また、子供が生まれて16歳以上になり扶養控除が適用できれば、さらに税金が下がります。所得税は所得金額により7段階に区分されており、330万円～694.9万円では所得税率は20％です。控除によって区分が変化し、195万円～329.9万円では所得税率10％となり、納税額が異なってきます。

控除には15種類の「所得控除」と、さらに有利な「税額控除」という制度があります。税額控除は税率計算後の、本来納税する額から、税額控除分を差し引けるという制度です。マイホームのローンの年末残高の1％等を控除できる「住宅借入金等特別控除」等が、「税額控除」の適用です。

## 「控除」を理解するとトクをする

| 控除 | 控除後の所得 | 所得税率 | 納税額 |
|---|---|---|---|
| | 400万円 | 20% | 400万円×20％－控除*4<br>＝372,500円 |
| 結婚すると*1 | | | |
| 配偶者控除*1<br>38万円 | 400万円－38万円＝362万円 | 20% | 362万円×20％－控除*4<br>＝296,500円 |
| さらに子供ができて16歳以上で*2 | | | |
| 扶養控除*2<br>38万円 | 400万円－38万円－38万円<br>＝324万円 | 10% | 324万円×10％－控除*5<br>＝226,500円 |
| さらにiDeCoを掛けると*3 | | | |
| 小規模企業共済等<br>掛金控除27.6万円*3 | 400万円－38万円－38万円<br>－27.6万円＝296.4万円 | 10% | 296.4万円×10％－控除*5<br>＝198,900円 |

＊1　配偶者控除が受けられる場合。2018年から夫の所得900万円超に制限あり　＊2　扶養控除適用者
＊3　掛金27.6万円/年適用者　＊4　所得税控除額　427,500円　＊5　所得税控除額　97,500円

RIA JAPAN　おカネ学作成　©2022　おカネ学（株）

## 確定申告している人の所得の出し方

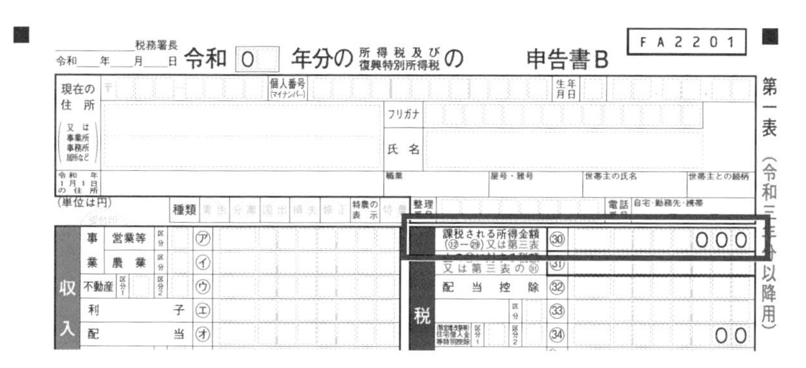
税務署長
令和　年　月　日　令和 0 年分の 所得税及び復興特別所得税 の 申告書B　FA2201
第一表（令和三年分以降用）

現在の住所（又は事業所事務所居所など）　個人番号（マイナンバー）　生年月日
フリガナ
氏名
令和 年1月1日の住所　職業　屋号・雅号　世帯主の氏名　世帯主との続柄
（単位は円）　種類　特農の表示　整理番号　電話番号 自宅・勤務先・携帯

| 収入 | | | 税 | | |
|---|---|---|---|---|---|
| 事業 営業等 | ㋐ | | 課税される所得金額（⑫－㉙）又は第三表 | ㉚ | 000 |
| 事業 農業 | ㋑ | | 又は第三表の㉛ | ㉛ | |
| 不動産 | ㋒ | | 配当控除 | ㉜ | |
| 利子 | ㋓ | | | ㉝ | |
| 配当 | ㋔ | | | ㉞ | 00 |

※配偶者控除の判定では確定申告書B⑫の合計所得金額を使用する

- 控除利用で税金がおトク
- 所得は確定申告書の㉚でOK！
  （㉚等の番号は変わることがあります）

2-8
# 退職金の税制メリットを理解する

老後の生活にお金が必要ですよね。会社を辞めた時に、もらえる退職金の税金の制度はとても有利です。30年勤めたら1,500万円は控除できます。
知っている人はトクしますね。

## 退職金税制①勤続30年で1,500万円の退職所得控除

退職金のメリットは大まかに次の3つです。**①勤続30年ならば1,500万円まで退職所得から差し引き可能で税金が安くなる、②それを超えた部分は税金計算を半分にできる、③他の税率テーブルとは合算せず、所得税は単独で税率計算できる「分離課税」**。ちょっと難しいですね。では事例で詳しく見ていきましょう。

①については、勤続年数1年あたり40万円、勤続20年を超えると1年あたり70万円が退職金から差し引き可能な「退職所得控除」になります。

勤続20年×40万円＝800万円、さらに10年勤務すると70万円×10年＝700万円となり、**勤続30年ならば1,500万円の退職所得控除**となります。

**退職所得控除**

| 勤続年数（＝Y） | 退職所得控除額 |
|---|---|
| 勤続年数20年以下 | 40万円×Y年（80万円に満たない場合には80万円） |
| 勤続年数20年超 | 800万円＋70万円×（Y年－20年） |

参考：国税局HP

## 控除した残りは50%オフ！

②2,500万円を勤続30年の人が受け取った場合、退職所得控除額は1,500万円でした。控除した残りは2,500万円－1,500万円＝1,000万円ですが、

退職金の場合はこれを**2分の1にしてよい**ことになっています。50%オフです！　すなわち1,000万円÷2＝500万円という計算となります。



## 分離課税、合算しないで料率計算をしてOK！

③他の所得が450万円あった場合を考えてみましょう。普通ならば退職金2,500万円＋450万円＝2,950万円となり、2950万円の所得税率は40%となります。しかし**退職金の場合は合計せず別々に計算することができます。**退職金2,500万円の課税対象は下表②の500万円のため税率は20%となり、結果的に合計2,950万円の税率40%でなく、20%の所得税率で計算できます。他の所得450万円の税率も同じく20%になります。これが分離課税です。

**退職所得算定ステップ（イメージ）**

| | |
|---|---|
| ①退職所得控除 | 2,500万円－1,500万円＝1,000万円<br>（勤続30年の場合　控除1,500万円） |
| ②1/2計算 | 1,000万円÷2＝500万円<br>（退職所得算出に1/2できる） |
| ③分離課税 | 500万円の所得税率20%で計算できる<br>500万円×20%－427,500[*1]＝572,500円（納税額）<br>（退職金 2,500万円＋他所得 450万円　計2,950万円<br>2,950万円の所得税率40%を適用しなくてよい） |

勤続30年、退職金2,500万円を受け取った場合の所得税計算事例
＊1　所得税の控除額　427,500円
簡易イメージを表示しています。詳細は税務専門家にご確認ください

RIA JAPAN　おカネ学作成　©2022　おカネ学（株）

- **30年勤務で1,500万円の退職所得控除**
- **退職所得の算出は退職金－控除を引いた後、2分の1にすることが可能**
- **分離課税は別の税率テーブルで計算が可能**

# 2-9 ふるさと納税も使ってトクする！

ふるさと納税、使える人はトクします。自分はいくらまで活用できるか教えてあげます。ただし、給与額だけでなく家族構成や控除の種類等で使える上限は違ってきますよ。

## 大都市生活者の出身地は？

そもそも、ふるさと納税はなぜ作られたのでしょうか？大都市で働いている人々が卒業した、小・中学校、高校時代の出身地を聞いてみると、答えのヒントがあります。地方で生まれ育った後、大都市で就職するケースを考えます。

若い時代に医療や教育等、様々な住民サービスを受けて育っています。例えば公立高校の学費は私立よりも安いケースがほとんどですよね？

それは、**ふるさとがサービスを提供してくれた**からなのです。

## ふるさと納税は地方を助ける税制

しかし大都市で就職し、大都市(近郊)に住んだ場合はどうなるでしょう？

あなたが税金を支払うのは、住んでいる地域です。ふるさとは、あなたがたを育てるのに税金を投入しました。しかし、あなたがたが働くようになって納税を行っているのは大都市(近郊)なのです。あなたが税金を支払うのは、育ててくれたふるさとではなく、現在住んでいる地域です。これではふるさとの財政は厳しくなる一方です。

そこで、地方への恩返しや、地方の産品・サービスのアピール、地方の創生を目的としてできた制度が、ふるさと納税なのです。

## ふるさと納税は、寄附をして控除を活用する制度

**ふるさと納税は都道府県、市区町村への「寄附」（寄付）をする制度**です。寄附金のうち2,000円を超える部分について、**所得税の還付、住民税の控除が受けられます**。地域の特産品等のお礼の品（返礼品[*1]）を受け取ることもできるのです。お礼の品は肉、米、パン、果物、エビ、カニ、魚貝類、野菜にお酒、お菓子等食物だけでなく、雑貨やファッション、家具等、「ほしい！」と思うモノが並んでいます。

## ふるさと納税の上限額目安

ふるさと納税寄付の上限額目安がこの表です。同じ給与収入でも家族構成や適用できる控除内容で上限額が大きく異なります。注意点は他の控除がある場合はこの上限額は寄附しすぎとなることです。自身の源泉徴収票や控除証明書等を、ふるさと納税の目安サイトに入力し計算したほうがよいです。

### ふるさと納税の上限額目安

| ふるさと納税を行う人本人の給与収入 | ふるさと納税を行う人の家族構成 | | | | | | |
|---|---|---|---|---|---|---|---|
| | 独身又は共働き | 夫婦（専業主婦・夫） | 共働き＋子1人（高校生） | 共働き＋子1人（大学生） | 夫婦＋子1人（高校生） | 共働き＋子2人（大学生と高校生） | 夫婦＋子2人（大学生と高校生） |
| 400万円 | 42,000 | 33,000 | 33,000 | 29,000 | 25,000 | 21,000 | 12,000 |
| 650万円 | 97,000 | 77,000 | 77,000 | 74,000 | 68,000 | 65,000 | 53,000 |
| 850万円 | 140,000 | 131,000 | 131,000 | 127,000 | 121,000 | 118,000 | 108,000 |
| 1,000万円 | 180,000 | 171,000 | 166,000 | 163,000 | 157,000 | 153,000 | 144,000 |

＊住宅ローン控除や医療費控除など他の控除がない前提での目安。実際とは異なります
総務省 全額控除されるふるさと納税額（年間上限）の目安より一部抜粋 図表の一部をRIA JAPANが加筆

- ふるさと納税は地方を助ける制度
- さまざまな返礼品を受けとることが可能
- 収入種類や家族構成や他の控除も考慮し、やり過ぎに注意！

＊1　返礼品だけでなく、体験ができる場合や、返礼のない場合等もある。

2-10

# 個人事業主必見！iDeCo以外の年額84万円の所得控除とは？

**自営業等の人の退職金代わりになる制度としては、小規模企業共済があります。iDeCo同様、毎月の掛金が全額所得控除になります。年額84万円も掛けられます。**

## 小規模企業共済とは？　金額、加入者は？

小規模企業共済制度は、個人事業をやめたり、会社等の役員を退職した時等の、生活資金等をあらかじめ積み立てておくための制度です。「独立行政法人中小企業基盤整備機構」というところが運営しています。

掛金は1,000円から70,000円の範囲で500円刻みで自由に選べます。

加入できる人は、「常時使用する従業員が20人以下」、または「商業とサービス業[*1]では常時使用する従業員が5人以下」の個人事業主や、その経営に携わる共同経営者、会社等の役員、一定規模以下の企業組合、協業組合、農事組合法人の役員の人等です。

## 小規模企業共済とiDeCoに加入して税金がこんなにおトク

個人事業主で、「720万円[*2]」の所得のある人の事例を見てみます。

所得税だけについて見ると、現状は23％で控除後102万円納めています。ところが、小規模企業共済に84万円、iDeCoに81万6,000円を掛けると、所得税が約68万円強に。**約34万円弱も所得税の税金が下がる**のです。

131万7,300円（165万6,000円拠出、所得税減少33万8,700円）の負担増加で、165万6,000円の積み立てができるのです[*3]。税金の計算を所得税の

＊1　宿泊業、娯楽業を除く。
＊2　所得額720万円：表での計算を簡易にするため、基礎控除48万円、青色申告控除65万円を差し引いた所得720万円とした。実際の所得では（48万円＋65万円）を加えた「所得833万円」の場合
＊3　iDeCoの諸費用、出口（退職所得等）の課税をここでは考慮していない。

翌年支払う「住民税」も入れると、さらに実質的に差が出ますね。

積み立てる部分の金額の負担はありますが、将来の積み立てにまわるわけです。

## 小規模企業共済やiDeCoに加入で税金がおトクに

| 所得額* | 小規模企業共済<br>未加入／加入 | iDeCo<br>未加入／加入 | 控除後所得 | （上段）税率<br>（下段）課税控除 | 納税額 |
|---|---|---|---|---|---|
| 7,200,000円 | 未加入 | 未加入 | 7,200,000円 | 23%<br>636,000円 | 1,020,000円 |
| 720万円×23%－63.6万円 | | | | | |
| 7,200,000円 | 840,000円 | 816,000円 | 5,544,000円 | 20%<br>427,500円 | 681,300円 |
| （720万円－84万円－81.6万円）×20%－42.75万円 | | | | | |

＊一例。所得額は、基礎控除48万円、青色申告控除65万円の控除後の前提
＊それぞれ上限まで加入した場合。掛金は積み立てられます

RIA JAPAN　おカネ学作成　©2022　おカネ学(株)

繰り返しになるのですが、個人事業主の人は、厚生年金に加入できない分、会社員の人に比べて年金の受け取りが少なくなります。また退職金の税制は、納税者にとって有利な制度となります。退職金の控除を利用するためには、まず退職金に充てるお金を貯めることが大事です。

小規模企業共済の掛金の分に税金がかからないので（所得控除）、事業の利益部分の税金を減らして、将来に備える貯蓄ができるわけです。個人事業主や企業オーナーの特権だと考えて、この制度をぜひ活用してほしいと思います。

- **小規模企業共済は、年額84万円まで掛けられる**
- **掛金が全額、所得控除で税金が安くなる**
- **個人事業主や小規模企業の役員等が加入できる**

2-11
# 新しくなったiDeCoの制度は？

iDeCoに加入できる年齢が5歳延長されました。5年分、長く積み立てができます！
会社員でもiDeCoに加入しやすくなりました！

## iDeCoは65歳、企業型DCは70歳まで加入・積み立て可能に

年金関連は特に2022年以後に大きな改正がありました。iDeCoは従来60歳未満だった加入上限が、65歳までに引き上げられました。加入年齢が5歳上昇したのですから、積み立て期間も5年間、余分にできるようになりました。iDeCoは非課税運用ですから、非課税の枠が広がったのです。年額27.6万円で5年増加した人は138万円も拠出額が増えました。ぜひ使ってください！

### iDeCo　65歳まで延長ができない場合は?

| | 年金種類 | 受給開始できる年齢 | 延長できる？ |
|---|---|---|---|
| 繰り上げ受給 | iDeCo | 60歳 | × |
| | DB等 | 60歳 | ○ |
| | 公的年金 | 60～64歳 | × |
| | 特別支給の老齢厚生年金 | 60歳 | ○ |
| 会社員など | 厚生年金に加入 | | ○ |
| 自営業者・主婦(夫)など | 国民年金に任意加入 | | ○ |

RIA JAPAN おカネ学作成 ©2022 おカネ学（株）

ただし65歳延長の対象外の場合もあります。iDeCoや公的年金の繰り上げ受給を行うと延長できなくなります。会社員は厚生年金加入中ならば延長可能。自営業者や主婦(夫)等は、国民年金に任意加入中[*1]ならば延長が可能です。また企業型DCも、従来の65歳未満が70歳未満に拡大しました。

受給(受け取り)開始時期も60歳から75歳[*2]までに引き上げられました。

＊1　国民年金保険料を480ヶ月(満期)納付時は任意加入不可(iDeCoも不可)。
＊2　1952年4月1日以前に生まれた人の受給開始は、従来通り70歳。

開始の60歳には変化はなく、繰り下げの上限が従来の70歳から75歳までに変更され、長く働く人が繰り下げられる選択肢が広がりました。

## 企業型DC等+iDeCo=5.5万円／月で使いやすく

企業型DC等とiDeCoを加えた拠出額上限が5.5万円／月に統一されます。企業型DC加入者は勤務先の意向によって、非課税枠をフルに使えない場合が多くありました。事業主の掛金が低い従業員は、拠出額の上限まで利用することができませんでした。改正でiDeCoを利用しやすくなります！

**非課税　拠出限度額のベースは月額5.5万円に**

| | iDeCoの拠出可能額：月額 | |
|---|---|---|
| | 2022/10/1～ | 2024/12/1～ |
| 企業型DCのみ | 5.5万円－企業型DC　事業主拠出額（上限2.0万円） | 5.5万円－（各月の企業型DCの事業主掛金額＋DB等の他制度掛金相当額）（上限2万円） |
| 企業型DC＋DB等 | 2.75万円－企業型DC　事業主拠出額（上限1.2万円） | |
| DB等のみ（公務員含む） | （上限1.2万円） | |

RIA JAPAN おカネ学作成 ©2022 おカネ学（株）

2022年5月や10月から施行されるものを含め、2020年の制度改正はかなり多岐にわたります。ここでは代表的なケースを取り上げていますが、詳細な要件や例外等が多く存在します。企業型DC加入者のiDeCo加入の要件緩和や推移は5-10、5-11で解説しています。詳細は以下の厚生労働省のWebでご確認ください。

「2020年の制度改正」厚生労働省

https://www.mhlw.go.jp/stf/seisakunitsuite/bunya/nenkin/nenkin/kyoshutsu/2020kaisei.html#20220501

- **iDeCoは65歳、企業型DCは70歳まで加入・積み立て可能に**
- **受給開始時期は60歳から75歳までに**
- **企業型DC等＋iDeCo＝5.5万円／月で使いやすく**

## 若い世代の「つみたてNISA」口座数が激増！

資産運用を行う時に、まず考えてほしいのは非課税制度の利用です。

その中でも「つみたてNISA」は若い世代を中心に人気を集めています。

これから資産を増やしたい人が「**低コスト**」で「**長期間**」にわたって運用できる、つみたてNISA制度利用は大きなメリットをもたらします。

日本証券業協会が発表した2022年3月31日時点のデータによると、20～30歳代のNISA口座数（約329万口座）の**67.5％（222万口座）が、つみたてNISAの口座**であることが公表されています。つみたてNISAでNISA利用が多いということです。

また、つみたてNISA口座における**88.1％の人が投資未経験者**であることも公表されています。資産形成を始める第一歩として、つみたてNISAが使われています。つみたてNISA口座を開設した後、どんな投信を選んでいいかわからず、早く結論を知りたい人は、6-11の「つみたてNISAはこれを選んで！」の、低コストの投信一覧表を見てください。

### 年代別NISA（一般・つみたて）口座数（2022年3月末時点）

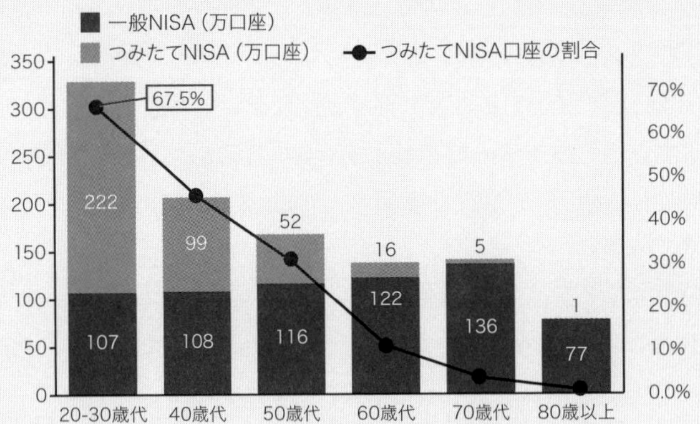


※各口座数は勘定設定口座数をベースとしているため、各年代の合計が総合口座と一致しない場合がある。
※左目盛りは口座数（万口座）、右目盛りは全NISAのうち「つみたてNISA」の割合（%）。
出典：日本証券業協会「NISA口座開設・利用状況調査結果（2022年3月31日現在）について」より一部抜粋。RIA JAPANが加工

3

# 第3章
# 「NISA&つみたてNISA」教えてあげる！

3-1

# NISAなら外国株や海外ETFにも投資できる！

世界の投資家が行っている低コストのグローバル投資には、王道として「海外ETF」が活用されていると聞きます。iDeCoやNISAで「海外ETF」を使うことはできるでしょうか？

## 海外ETFや国内ETF、外国株や日本株への投資はNISAなら可能

海外ETFの中には信託報酬0.03％等、低コストのものがあります。世界の経済成長に投資（グローバル投資）を行うのであれば、世界の投資家が利用している商品を選択するほうがよいので、**金融商品の王道は「海外ETF」**といえるでしょう（4-5、6-12、9-6参照）。

しかし、残念ながら、**iDeCoでは直接海外ETFへの投資ができません。**一方、つみたてでない一般NISAならば海外ETFの投資が可能です（注：取り扱いのある金融機関の場合）。グローバル投資にチャレンジしたい人はNISAで投資するのがよいでしょう。

また同様に、個別株、外国株に投資をしたい場合もiDeCoでは投資できないので、NISAの活用を検討するとよいと思います。

なお、iDeCoで投資できるインデックス投信でも、コスト安の商品が、出てきています。

## アセット・ロケーションの順番、iDeCo、NISAは?

税制メリットの大きなiDeCoを活用した運用を考えてみましょう。日本の年金の管理・運用を行っているGRIF（年金積立金管理運用独立行政法人）が5割を外国株式・外国債券（グローバル投資）への投資を行い長期運用で約3％／年のリターンを得ています。 個人の資産運用にもグローバルな投資を検討する必要がありそうです。

そこで資産形成では積み立てであるiDeCoを選択しましょう。①様々なカ

テゴリーに投資ができ、②信託報酬等が低い水準の商品をたくさんラインナップしている金融機関が有利と考えられます。iDeCoでは海外ETFの代替として外国株式等のインデックス投信を選択する方法を活用できます。まとまった資金での投資はまずNISAの枠で、海外ETFへの投資検討を。NISAでしか活用できない海外ETFや個別株の部分はNISAで、同じ分野の投資であれば所得控除と運用益非課税のiDeCoを使う、「アセット・ロケーション*1」の順番を考慮しましょう。

**海外ETFや外国株はiDeCo、NISA、つみたてNISAで可能?**

| | 個人型確定拠出年金<br>iDeCo(イデコ) | 少額非課税投資制度<br>NISA(ニーサ) | 少額非課税投資制度<br>つみたてNISA |
|---|---|---|---|
| 投資信託 | 低い信託報酬のインデックスファンドから | | |
| 海外ETF・外国株・<br>国内ETF・日本株 | ×<br>選択できない | ○* | △<br>一部選択可 |

＊海外ETF、外国株式等を取り扱っている金融機関を選択した場合

RIA JAPAN おカネ学作成 ©2022 おカネ学(株)

## つみたてNISAの商品選びはどうしたらよいの?

つみたてNISAの商品選択は、比較的簡単だと思います。つみたてNISAに適合する商品は、2022年7月時点で214本です。公募株式投資信託約5,993本のうちの約3.6%という厳しいものです。つみたてNISAは本数がかなり限られているため、商品選びも比較的容易だと思います。**初心者の人はインデックス型で、信託報酬が安いものから選択**するとよいでしょう。ただし、インデックス型と名付けられていれば何でもよいわけではなく、信託報酬等の水準で判断してください。目安は3-5で、結論は6-11でお教えします。

- **海外ETFや外国株式への投資はNISAなら可能**
- **グローバル投資なら低コストのインデックス投信**
- **同じ分野の投資なら、まず所得税控除・運用益非課税のiDeCoで**

＊1 資産を置く場所の優先順位を検討すること。4-1で詳細を解説。

3-2

# NISAで損している場合、どうする？

NISAで買った株式、売ったら損する人は注意して！ NISA運用5年後放置して課税口座に移った後の売却では、実際損しているのに課税されるコトがあるんです！ 損している時どうするかお教えします！

## NISAのメリット、幅広い商品で120万円の運用益非課税！

つみたてNISAよりもNISAのほうが投資できる商品が多いと説明しました。海外ETFや外国株、REIT等にも投資可能でした。NISAは120万円／年の非課税枠内*1で運用した運用益や分配金等が非課税になる制度です。

## NISAで5年後何もしないとどうなる？

NISAの運用期間5年が終了すると、どうなるのでしょうか？　特に手続きをしないと、「年末の時価で課税口座に自動的に移る」のです。

## NISAで損した銘柄、損しているのに課税される？

残念ながらNISAで5年運用したものの、損してしまったケースを考えます。100万円で購入、80万円で課税口座に移ってしまいました。その後90万円まで株価が上昇して売却したとします。当初の購入は100万円ですから、実際は10万円損して売却しました。90万円で売っても、買った時の値段は80万円として計算しなければならず、(売却)90万円－(簿価)80万円＝プラス10万円に対して税金20.315％の支払いが必要です。NISAを5年後に放っておくと、課税口座に移った時の年末価格が取得価格(簿価)になります。損して売却したのに、税金の支払いはモッタイない！　です。

なお、課税口座に移った後にさらに値下がりした場合は、譲渡損失なので

＊1　2024年からの新しいNISAでは年間122万円、P.17図表参照。

譲渡益はなく、税金は課税されません。

**課税口座移管後に値上がりすると課税対象に**

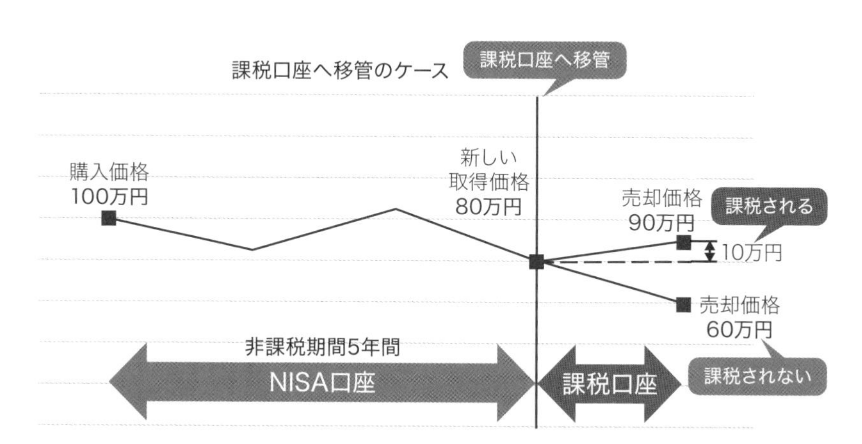


当初の100万円からは損でも、移管後に値上がりした場合は課税対象になります

RIA JAPAN おカネ学作成 ©2022 おカネ学(株)

## NISA出口戦略の3つの選択肢とは

NISA口座での運用を終わらせる出口戦略は、①売却、②放置して課税口座に移る、③翌年の非課税口座に移す=ロールオーバー、の3つです。

現在保有銘柄が下落予想なら、迷わず①売却です。また他銘柄で価格上昇予想の場合も、売却し資金を次年度NISA非課税枠に充てればよいでしょう。

新たに120万円の資金が用意できない、この保有銘柄で大幅な価格の上昇が見込めるのならば、③ロールオーバーを検討すべきです。

①にも③にも該当しないならば、消極的選択の②で課税口座継続保有を。

- **NISAの出口は、①売却、②放置(課税口座へ)、③ロールオーバー**
- **NISA放置後売却では、損して税金支払いのケースがある!**
- **資金がなく、保有銘柄が有望ならロールオーバーの検討を**

3-3

# NISAで資産倍増!? さらにロールオーバーで10年運用！

NISAを使って資産が倍増したら嬉しいですよね。本当にそんなことができるのでしょうか？ できた事例があります！ でも逆に損することもありますよ。

## NISAで資産大幅増！ こんな運用も実際にできる！

一般NISAでは個別の株式投資も可能です。海外ETFや外国株式だってNISAの非課税枠を使って運用することも、実は可能です。リスクを取った結果、資産倍増となるケースだってあり得るのです。

次の表は、実際に一般NISAの非課税枠で運用している一例です。約112万円が約290万円に増加する等、資産が2倍以上に増えるケースだってあるのです。ただしすべてがこのようなプラスリターンを産み出すとは限りません。逆に大きくマイナスとなることもあります。

NISAで資産倍増は実際に可能!?

| 開始年 | 投入金額 | 時価 | 損益 | 累積リターン |
|---|---|---|---|---|
| 2018 | 1,128,348 | 2,905,488 | 1,777,140 | ＋157.50% |
| 2020 | 1,106,763 | 2,112,185 | 1,005,382 | ＋90.84% |
| 2021 | 393,484 | 758,136 | 364,644 | +92.67% |

＊データ 2022/04/17 実際のNISA投資の一例。プラスリターンを保証するものではありません
RIA JAPAN おカネ学作成 ©2022 おカネ学（株）

## NISAで10年運用する方法教えてあげる！

一般NISAの非課税期間は5年だと思っている人が多いでしょう。しかし実は売買しないまま10年運用できるケースもあるのです。プラスリターン

で推移している銘柄で、「今後5年間も成長し価格が上昇する」と思うならば、「ロールオーバー」活用で10年間売買しないNISA長期運用をするのです。

## ロールオーバーなら、非課税枠以上の金額投入可能!



ロールオーバーは、次の年のNISA非課税枠対象に、NISA枠終了を迎える銘柄を充て、今後5年間の非課税対象とすることが可能になります。

**非課税期間終了後に保有資産が値上がりした場合**

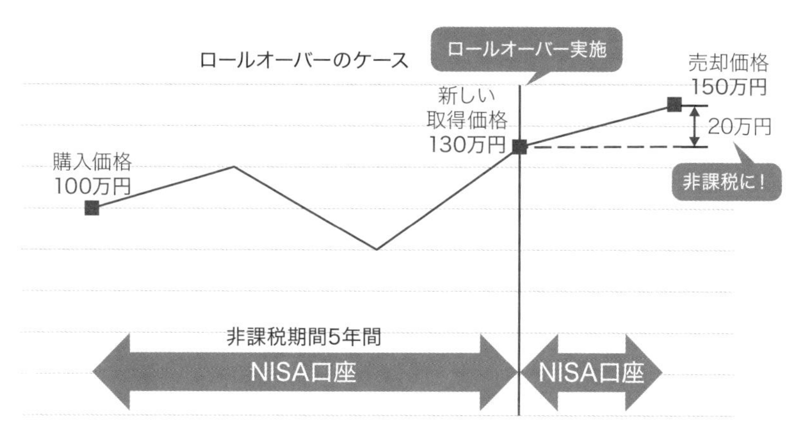


RIA JAPAN おカネ学作成 ©2022 おカネ学(株)

NISA運用で5年前のある1銘柄100万円が130万円になりました。NISA枠120万円を超えた金額でも、ロールオーバーで翌年の非課税枠にスライドできます。仮に年末時価130万円でロールオーバーした1銘柄を150万円で売却すると、本来150万円－簿価130万円の20万円の利益ですが、NISA運用で非課税です。有望銘柄の長期投資に、NISAのロールオーバー活用というワザがあるのです。

- NISAで資産倍増も! 逆に大幅損失もあり得る!
- ロールオーバー利用で10年間の長期運用が可能!
- ロールオーバーなら、120万円以上も非課税枠に充てられる!

3-4
# 積み立てなら無理なく資産作りできる！

**ある方法を導入すれば、初任給から1年で26万円を資産形成に充てることも可能です。どうすればよいのか、お教えします！**

## お金が貯まらない人の行動パターン

お金が貯まらない人の行動パターンは、「余ったら、貯蓄しよう」。「おしゃれなカフェで一杯」「気に入った服買っちゃおう」「自分へのご褒美にコレ！」「別にお金はあるし、自分で稼いだお金、今を楽しまないと！」

ああ使う感覚がたまらない！そしてお金は貯まらない…（笑）。

## 勤め始めてもらった給与はどこへ？

勤め始めの新人時代を振り返ってみましょう。嬉しい給与！　学生時代のバイトよりも、貰える額が多くなった人も多いハズです。

例えば大卒の初任給が22万6千円、社会保険料や税金を引いた残り（手取り）の金額が約20万6千円とします。この中から家賃や食費、衣服や携帯電話料金、そして小遣いや趣味の費用を支払います（実家の人は不要な部分もありますね）。金額的には資産形成できる水準でしょう。しかし貯まらない。理由は、**お金があると、あるだけ使ってしまう**場合が多いからです。

## お金を貯めている人は、「貯まる方法」を使っている！

実はお金を貯め、資産形成に成功する人は、できない人よりも工夫をしています。それは**貯まる方法を使っている**のです。ズバリ！　**天引き**です。

社会保険料や税金はあらかじめ差し引かれます。残った手取りの範囲で、**天引きされた部分は、はじめからないもの**として生活します。

これと同じように考えて、資産形成ができる方法を導入しましょう！

## 「天引き」「積み立て」「袋分け」でドンドン資産作り

ズバリ！**「天引き」「積み立て」「袋分け」といった方法を導入**します。**資産形成部分をあらかじめ差し引いてしまう**のです。自動積立定期、社内預金、積立投資を口座から引き落とすのです。やりくり上手な主婦（夫）が使う方法が「袋分け」です。給料が入った時点で、「食費」「通信費」「服飾費」「こづかい」等、予算を立てて実際に袋分けし、予算内でやりくりするのです。給与額面1割の資産形成なら、1年で26万円の資産形成も夢ではありません！

**1年で毎月の給料より多く資産形成できる！**

月の予算

食費
服飾費
おこづかい
etc...

余ったら貯めよう
→結局、余らない！

1年後の資産形成額

1年で資産形成できたお金は……

0%×12ヶ月=0%

0　ゼロ！

天引き
食費
服飾費
おこづかい
etc...

天引きで10%を
資産形成に充てる
残りで生活！

| 天引き | 天引き |
|---|---|
| 天引き | 天引き |
| 天引き | 天引き |
| 天引き | 天引き |
| 天引き | 天引き |
| 天引き | 天引き |

10%×12ヶ月=120%

毎月の給料より多い！

RIA JAPAN おカネ学作成©2022 おカネ学（株）

- 余ったら資産形成では、1年経ってもゼロかも
- 「天引き」「積み立て」「袋分け」でドンドン資産作り！
- 気がつくと1年で月収分×1.2の資産が簡単にできる！

3-5

# つみたてNISAのインデックス型でもコストに違い

つみたてNISAでインデックス型を選べばOK！　しかし、さらに注意が必要なコトがあります。実は、同じ投資対象でも費用が違うんです！

## つみたてNISAを使う人がなぜ増えているのか

これから資産運用を始める人にとっては、「何を選んだらよいのかわからない」という場合も多いでしょう。しかし販売者に相談すると、自分たちが儲かる、高いコストの商品を勧められることが多かったのが実態です。銀行や証券の人は、販売者の立場なので正直に投資家に有利なものを勧めてくれるワケではないのです。そこで投資をする人向けに金融庁が「この中から選んでね」と対象を選別した制度が、つみたてNISAなのです。選びやすいこともあり、つみたてNISAの口座数・利用者数も増加しています。

つみたてNISAはどんな制度かについて、1-3で解説しました。おさらいすると、つみたてNISAの非課税枠は年間40万円、金融庁がつみたてNISAで投資できる対象を選んでくれている、投資できる対象は約200本の投資信託・ETFに限られているということでした。

## つみたてNISA対象商品の選ばれる基準

つみたてNISAがどんな基準で選ばれているか、これもおさらいしておきましょう。

- **投資にかかる費用が安いこと＝低コスト**
- **投資をスタートする時に、購入時の手数料がかからない＝ノーロード**
- **毎月、分配が行われるものは除外**
- **期間が20年以上、または期限が決まっていない＝長期運用**

資産運用にとって重要な「低コスト」「長期運用」を、積み立て形式で実現する制度が、つみたてNISAなのです。

## つみたてNISAにもインデックス型、インデックス型って?

つみたてNISAには、アクティブ型とインデックス型の2種類の商品があります。インデックス型とは、インデックス=指数と同じリターンを目指す運用方法です。例えば毎日ニュースで聞く、「日経平均株価」が上がれば同じような比率で運用資産が増加し、逆に下がれば運用資産が同じように減少するような形です(インデックス型の詳細は4-5で詳しく説明します)。

## つみたてNISAインデックス型でも低コストを選ぶ

つみたてNISAのインデックス投信181本のコストである**運用管理費用(信託報酬)はバラバラです。0.09%~0.66%**という180本に加え、2030年まで0.00%という採算を無視した商品まで現れました(2022年3月末時点)。

インデックス型ならば何でもよいということではないのです。実際にMSCI ACWI Indexという全世界株式に投資する同じインデックスを対象とした、つみたてNISA対象投信でも、**信託報酬は0.66%と0.11%という違い**がありました。完全に最低水準でなければならない、ということではありません。0.5%の違いでも10年では5.0%のコストの違いとなります。コストが高ければ、リターンは減少します。同一インデックスであれば低コストのものを選んでください。

ただし金融機関によっては低コストを選べない品揃えもあり得ます。

インデックスにも種類があります。S&P500というアメリカを代表する500社の指数と、MSCI ACWIを比較してどちらが低コストという比較は意味がありません。対象指数が同じものの中でコスト安のものを選んでください。

- つみたてNISAのインデックス型投信は180本以上
- 同じインデックスを対象でもコストに大きな差がある!
- 高いコストしか選べない金融機関もある!
- 違うインデックスでコスト安は競わない

# 3-6 実は積み立てより一括投資のほうがリターンが高い？

つみたてNISAは「長期、積み立て、分散」のキーワードで商品選択がされています。しかし、積み立てよりも一括投資が実は有利とのデータがあるんです！

## 積み立てが一括投資よりも有利とは限らない

投資は、投資先が成長する前提で行うことが多いでしょう。成長が前提であれば、早い時期に投資を行い、長い期間運用するほうが大きなリターンを得られます。一括で投資できる資金があるのに、わざわざ投入時期を分割する「積み立て」が有利で、投資の王道との説明は正しいとは言えません。

## 一括投資が5年間で40%も積立投資を上回る!?

2017年4月に一括投資して2022年4月に評価したデータと、2017年4月から2022年4月まで毎月末に60回定額で分割投資した結果のデータがあります。データでは**一括投資が93.88%、積立投資が53.19%（外国株式）**[*1]でした。日経平均でも一括投資が47.15%、積立投資が19.12%でした。いつもこのようになるとは限りませんが、2017年4月から2022年4月の5年間では、一括投資のほうが外国株・日本株共に優位でした。

右肩上がりの成長であれば、早めに投資を行ったほうが有利なのは明らかです。逆に右肩下がりの低迷相場では、徐々に価格が下落しているのですから、分割のほうが低い平均価格で取得できます。今後の価格推移は誰にもわかりません。「積み立てが絶対有利」という考え方は正しくありません。

*1 QUICK資産運用研究所データより。

**一括投資は積み立てより成績がよい?**

| | 一括投資 | 積立投資(60回) | 差異 |
|---|---|---|---|
| 外国株 MSCIコクサイ・インデックス<br>ニッセイ外国株式インデックスファンド | 93.88% | 53.19% | 40.69% |
| 日本株 日経平均株価インデックス<br>日経225ノーロードオープン(AM One) | 47.15% | 19.12% | 28.03% |

外国株:対象指数 MSCI コクサイ・インデックス(配当込み、円換算ベース)
一括投資:2017 年 4 月末に一括投資を 2022 年 4 月末時点で評価
積立投資:2017 年 4 月末から 2022 年 3 月末まで毎月末に定額拠出を 60 回、合計 100 万円投資し、2022 年 4 月末時点で評価。1 回の拠出額は 1 万 6,666.666 円。
データ:QUICK 資産運用研究所

RIA JAPAN おカネ学作成 ©2022 おカネ学(株)

## 退職金等、まとまった資金の運用をどう考える?

退職金等、まとまった資金の運用では一括をベースに考えるべきです。老後に資金を取り崩す必要が予想されるのに、積み立ては逆の行動です。一度に投資が心配であれば、複数回に分けての投資を検討しましょう。

1-7のフローチャートを今一度見返してみましょう。40万円以上の運用ができるならば、つみたてNISAでなく、非課税枠の大きな一般NISAを選ぶべきです。個別株や海外ETFに投資をしたいと思わない場合でも、一般NISAの枠で、つみたてNISAの商品を選んで投資することもできます。非課税枠を大きく使ったほうが有利なのです。DCに加入できるならば、DC運用で非課税枠利用を検討ください。

退職金運用デビューで支店長から頼まれ、お金持ち気分で安易に任せた結果、ハイリスク運用となり大失敗のケースがあります。後悔をしないように販売者の口車に乗らないこと、誰に相談すべきかをよく検討することが重要です。

- **5年リターン一括投資94%、積立53%(外国株)、一括投資47%、積立19%(日本株)とのデータがある!**
- **退職金運用は取り崩しも視野にある。積み立て利用は逆の行動で合理性がない**
- **過度なリスクに注意し、誰に相談するかが重要**

# 3-7 新しくなるNISA制度は？

新しいNISAは2階建てです。
1階では、長期・積み立て・分散に適した商品に、
2階では幅広く投資ができます。

## 2024年以降の「新しいNISA」はどうなる?

一般NISAが2024年に生まれ変わります(1-2ご参照)。その後さらに大きな制度拡充も検討されそうです。現状のおおまかな変更は以下です。

- **非課税枠が122万円／年までとなり、＋2万円と従来よりちょっとだけ増加**
- **2階建ての構成で、1階、2階の対象商品を選ぶ形**

## 新しいNISAの1階部分、2階部分の対象商品は?

1階部分はつみたてNISAと同じ対象の商品から選ぶ形です。1階部分の上限20万円は「長期、積み立て、分散」に適した商品に投資するものです。

2階部分は幅広く国内外の個別株式やETF等にも投資が可能で、上限は102万円まで。2階部分の対象外は、監理銘柄および整理銘柄に指定されている、ヘッジ目的等以外でデリバティブ取引による運用が対象外です。投機性の高いハイリスク取引はNISAで使用すべきでないとのメッセージです。

## 新しいNISAの2階部分を大きく使うこともできる

原則として2階部分を利用するには、1階部分での積立投資を行う必要があります。しかし従来の一般NISAをフル活用していた投資家は、1階部分を購入しないで、122万円の非課税枠を使うことができる場合があります。非課税終了後ロールオーバーで2024年以後の新しいNISAへ移行の場合です。

ロールオーバー時、2階部分の非課税投資枠(102万円)を超過する場合は、1階部分の非課税投資枠(20万円)を消化します。ロールオーバー可能な金額に上限はありません。新しいNISAでもメリットはそのままです。結果的に1階部分を使わないで122万円をフル活用する場合も可能となっています。

監理銘柄・整理銘柄、ヘッジ目的等以外でデリバティブ取引による運用は、従来一般NISAで保有があっても新しいNISAにロールオーバーはできません。



122万円枠をフル活用できる場合

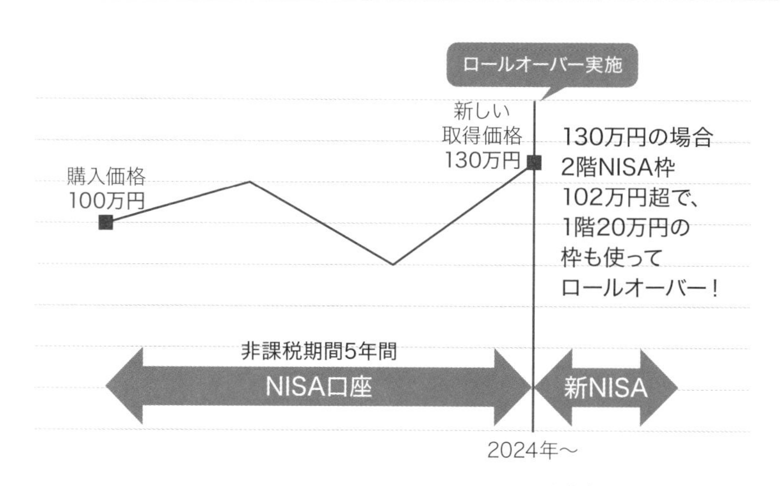


RIA JAPAN おカネ学作成　©2022　おカネ学（株）

## 新しいNISA終了後、1階はつみたてNISAに移せる

新しいNISAの1階部分で購入した投資信託は、5年間の非課税期間終了後、つみたてNISAの非課税投資枠へのロールオーバーによる継続保有が可能です。新しいNISAでの当初の購入価格（簿価）でロールオーバーされることとなり、ここは従来のロールオーバーの簿価算出方法と異なり注意です。40万円以上投資可能者は、一般NISAや新しいNISAで大きな非課税枠が使えて有利です。

- 新しいNISAは原則2階建て、1階はつみたてNISAと同様
- 新しいNISAのロールオーバーでは、非課税枠122万円を従来通りの2階の投資対象でフル活用できる場合がある

## 7年3ヶ月で買付額が10.23倍に増加！「一般NISA」

NISA制度は2014年の制度開始以来、右肩上がりで規模拡大してきました。

2014年末時点では累計買付額1兆8,258億円でしたが、2022年3月末時点では18兆6,792億円となり、7年3ヶ月で規模が約10.23倍に増加しています(日本証券業協会発表のデータによる)。

また一般NISA・つみたてNISA合計の口座数を見てみると20～30歳代の口座数が顕著に伸びており、若い世代を中心に資産形成の潮流が感じられます。

別のコラムで触れましたが、若い世代はつみたてNISAの伸びが凄まじいです。しかし一般NISAでは投資家にとってメリットの多い海外ETF等に投資可能です。本書1-4で触れたように、まず5年間一般NISAを活用してからつみたてNISAに切り替えることで非課税枠を大きくできる裏ワザもあります。つみたてNISAの始めやすさもよいですが、一般NISAも非常に魅力的な制度であることを是非知っていただきたいと思います。

### 年代別NISA（一般・つみたて）口座数の推移

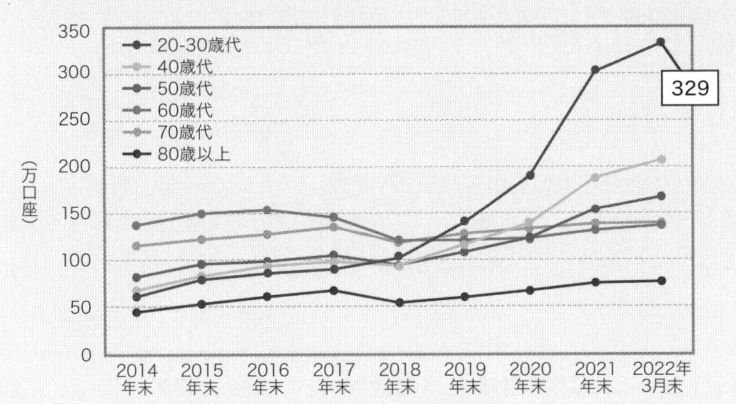


※各口座数は勘定設定口座数をベースとしているため、各年代の合計が総合口座と一致しない場合がある。
出典：日本証券業協会「NISA口座開設・利用状況調査結果(2022年3月31日現在)について」より一部抜粋

4

# 第4章
# 「資産運用のコツ」教えてあげる！

4-1

# 米国では基本のキ、「アセット・ロケーション」って何？

資産運用のプランを立てる時に、時々聞くアロケーション（配分）よりも、聞きなれないロケーション（置き場所）のほうが、運用先進国アメリカでは優先されてます。

## アセット・ロケーションとアセット・アロケーションとは?

アセット・ロケーションがどんな風に紹介されているのか検索を試みましたが、検索結果には「アセット・アロケーション」が示されました。

ではまず**アセット・アロケーション（asset allocation：資産配分）**とは何でしょうか？　A株を全体の20％、B株を15％、米国社債に20％…というふうに、どんなカテゴリーに、いくらずつの割合で投資するのかを決めるイメージです。合計100％をどんな配分にするのかを決めることです。

では**アセット・ロケーション（asset location：資産の置き場所）**とは何でしょうか？　それは、**どこの金融機関で、どの制度を使うのかを決めるイメージ**です。米国のアドバイザーは配分よりロケーションを優先して検討するのです。

1. 顧客を理解する（リスク許容度・収入等）
2. アセット・ロケーション（asset location）を判断する
3. アセット・アロケーション（asset allocation）を判断する…

## アセット・ロケーション①　非課税口座の検討

アセット・ロケーションで検討するポイントの1つ目は**非課税制度**、それ以外の制度の利用区別です。可能なら非課税制度利用が有利です。まったく同じ商品に投資する場合でも、運用益が非課税の制度（NISA、iDeCo、DC等）

と、課税の口座利用の場合に手許に残る金額が異なります。積み立てで資産形成ならば、つみたてNISAよりもiDeCoを先に検討すべきです。掛金全額が控除され、税金が安くなるメリットを受ける会社員等が多いハズです。

**アセット・ロケーションの検討順位**

| | 非課税 | 所得税・住民税メリット | 非課税枠 |
|---|---|---|---|
| iDeCo (DC等) | ○ | ○ 掛金が控除 | 81.6万円等(詳細は5-6) |
| NISA (一般) | ○ | × | 120万円* |
| つみたてNISA | ○ | × | 40万円 |
| 特定口座 | × | × | × |
| 一般口座 | × | × | × |

＊ NISA 金額は 2024 年の新しい NISA では 122 万円

RIA JAPAN おカネ学作成 ©2022 おカネ学（株）

## アセット・ロケーション② 具体的な取引金融機関

2つ目の検討ポイントは、具体的な取引金融機関の検討です。某日系大手証券担当者は「NISA制度で海外ETFには投資できない」と誤った説明を堂々と行っていました。海外ETFに投資する場合に**NISAで海外ETFに投資できる取引金融機関を**選ばないと実現できません。

iDeCoやNISA・つみたてNISAは1人1口座しか実際に利用できません。従来の取引金融機関では低コストの商品が不十分な場合もあるでしょう。

**低コストの商品が様々なカテゴリーで充実する金融機関**を選択しましょう。正しい知識を持って、自分自身で有利な取引金融機関を選ぶとよいでしょう。

- **アセット・ロケーションを資産配分より先に検討する**
- **非課税制度をフル活用する**
- **低コスト商品が充実している金融機関を選ぶ**

4-2

# 低コストが選択の基本

iDeCoを紹介した本の多くに「商品ラインナップを見て、金融機関をまず決めましょう」と書いてありますが、これには落とし穴があります。運用の奥義、「コストと運用リターン」の関係をまず教えちゃいます。

## コストとリターンの関係を理解する

運用を始める人、すでに始めている人に知ってほしいことがあります。それは**高い運用コストは顧客リターンを押し下げる**ということです。

100万円を仮に毎年3.00%で運用できた前提で、運用事例2例比較をします。運用Aでは運用開始時点で3.30%の販売手数料が引かれ、運用元本から

### 運用コストを理解するとトクをする!

| | 運用A | | 運用B | |
|---|---|---|---|---|
| | コスト・リターン | 資産額の変化 | コスト・リターン | 資産額の変化 |
| 100万円 | | 運用開始時<br>100万円 | | 運用開始時<br>100万円 |
| 販売手数料 | 3.30%<br>3.3万円 | 100万円−3.3万円＝<br>96.7万円 | 0%<br>0.00万円 | 100万円−0.00万円＝<br>100万円 |
| 1年運用益(仮) | 3.00%運用<br>96.7×3%<br>＝2.9万円 | 96.7万円+2.9万円＝<br>99.6万円 | 3.00%運用<br>100×3%<br>＝3.0万円 | 100.0万円+3.0万円＝<br>103.0万円 |
| 1年信託報酬 | 1.73%<br>(96.7+99.6)/2<br>×1.73%<br>≒1.7万円 | **99.6万円−1.7万円<br>＝97.9万円** | 0.10%<br>(100.0+103.0)/2<br>×0.10%<br>＝0.10万円 | **103.0万円−0.10万円<br>＝102.9万円** |

※表示ケタ数未満を四捨五入
※1年の運用収益を3%と仮定して計算
※信託報酬計算上、元本は便宜的に（運用開始前+運用後）÷2とした

RIA JAPAN おカネ学作成　©2022　おカネ学（株）

差し引かれる信託報酬が仮に1.73％／年ならば、1年後97.9万円に目減りします。

一方、表の「運用B」を見てください。販売手数料がゼロ、年間の信託報酬が0.10％ならば、同じ3％で運用後に100万円が約102.9万円になります。



## 商品ラインナップよりまず、信託報酬の水準

金融機関選びで一番重要視すべき事柄は、ズバリ「**信託報酬等の水準**」です。商品の数等でなく、信託報酬の安い商品が多い金融機関を選ぶべきなんです！　「**運用リターン＝運用益－運用コスト**」と覚えてください。

商品ラインナップの数が多いことは、金融機関選びの目安にはなりません。高いコストの商品ばかりたくさんあっても意味はないのです。問題はコストです。高いコストは、販売者（銀行や証券等金融機関等）に収益をもたらします。「販売者側」は儲かるものの「投資家」は儲からない、との構図になる可能性が高くなり、結果として投資家のリターンを押し下げます。なお、図表のデータの中の「販売時手数料」「信託報酬」は日本で最も残高の多い国内公募投信の2022年3年のデータを引用しています＊[1]。

また、以下は、金融庁長官が2017年4月に個人が投資で成功するための秘訣として引用したコメント＊[2]の一部です。

**・市場全体に投資するコストの低い「インデックスファンド」を選ぶこと**

運用コストの重要性は4-8、5-1、6-1、6-7、6-10でも説明します。また「インデックス運用」については後の4-3、4-5で説明します。

iDeCoやNISAで取引金融機関を選ぶ時には、商品ラインナップが多いことが重要ではないのです。

**投資に有利な「低コストの商品が充実している」こと**が重要なのです。

**・運用リターン＝運用益−運用コスト**
**・商品の数の多さでなく、信託報酬等の安さを重視する**
**・運用益よりもコストが高くなることもあり得る**

ここがポイント！

＊1　データ：QUICK資産運用研究所「国内公募投信の残高ランキング」2022年3月31日時点
＊2　金融庁　森金融庁長官基調講演「日本の資産運用業界への期待」（2017年4月7日）

4-3
# 今や常識、インデックス運用って？

資産運用のキーワード・インデックス運用について説明します。インデックスとは、「指数」「指標」という意味。これを知っていれば資産運用は怖くありません！

## 日経平均株価はインデックスの1つ

最初にインデックスについて説明します。**インデックスとは「指数」とか「指標」という意味**です。指数なんて日常生活では使わない言葉のようですが、実は知らず知らずのうちに、テレビ、新聞、ラジオ、インターネットニュース等で毎日、見たり聞いたりしている身近な「インデックス」があります。

たとえば「日経平均株価」です。毎日、ニュースに出てくるアレです。「日経225(にっけいニイニイゴ)」ともいいます。この日経平均株価は日本を代表する225銘柄の株式の平均でできています。アメリカの指数で有名なのはNYダウ(ニューヨーク・ダウ)ですね。アメリカを代表するダウ工業株30種で構成されています。運用成績を測定するための基準(＝ベンチマーク)にインデックスは用いられます。比較のための「標準記録」みたいなものです。

## なぜインデックス運用が簡単でスゴイのか

「日経225のインデックス運用」といった場合には、日経225の指数に連動するような運用ということになります。これのスゴイ点は、たとえば日経225のインデックス投信を買った場合、この投信1つ買っただけで、225銘柄それぞれに投資したのと同じような効果が見込めるってことなんです。**225銘柄の「まとめ買い」が1本の投信で**できちゃうんですよ！

投資の判断が簡単だと思いませんか？　今後、日経平均株価の上昇が見込めると思うならば、「日経平均株価インデックス」の投信を1つ買うだけで、日経平均株価の上昇と同じ動きのリターン、投資の成果が見込めるということなんです。

しかも、インデックスは日本だけではありません。米国ではニューヨーク・ダウやS&P500、ドイツならDAX等、国を代表する銘柄を集めたものや、ユーロ圏を代表する50社のユーロストックス50等、様々なインデックスが世界中にあります。株式だけでなく債券を集めたインデックスもあります。

**インデックス運用と同じ意味を持つ「パッシブ運用」**という言葉があります。**市場平均と同じリターンを目指す運用方法**です。



## なぜインデックス運用はコストが安い場合が多いのか

インデックス運用の場合、運用者の仕事は、指数に連動するようにプログラムをすることが中心ですから、投資のコストが安く、信託報酬も安い場合が多いのです。

インデックス運用でないアクティブ運用の場合は、投資すべきか決断したり、投資するならばどのくらいの割合にすべきか等を判断するために、いろいろな会社を訪問・調査をする人がいる場合があります。調査員が飛行機や電車で訪問先に移動する交通費や、調査員のレポート作成の時間を含めた人件費等が余分にかかるので、高めの信託報酬が必要になるのです。

インデックス運用ではこれらの費用がかからないので、信託報酬を安く抑えることができます。

なお、2016年から未公表の企業業績の調査はできなくなりました。いわゆるインサイダー情報を顧客に伝えた事件が引き金になったのです。アクティブ運用ならではというメリットも減ってしまいました。次節でアクティブ運用を説明します。

- **日経平均株価に連動の運用は「インデックス運用」**
- **日経225インデックスなら、225銘柄をまとめ買いできる**
- **インデックス運用の運用コストは安い傾向がある**

4-4

# アクティブ運用はリターンが悪い？

お客様から「証券からのおススメはアクティブ型」と時々聞きます。アクティブ運用のほうが成績がよいのか、ここで検証してみましょう。

## コスト高のアクティブ運用だとたくさん儲かるか

指数に連動するインデックス運用に対して、**「指数を上回ることを目的とする」こと**がアクティブ運用となります。積極的（＝アクティブ）に普通のインデックスを上回ることを目指す運用ということですね。

ならばアクティブ運用のほうが儲かるだろうと考えますよね？　一般的に**アクティブ型投信は手数料がインデックス型よりも高く設定**されています。実はインデックス型とアクティブ型の信託報酬の差が1％以上あることもよくあるんですよ。

えっ？　手数料が高いんだから、たくさん儲かるハズ？　ですか？

普通はそう思いますよね。

「優秀なアナリストが調査をしていますから、その分信託報酬が高いんです」「優秀なファンド・マネージャーがプロとしてついていますから」というような説明で、その投信がいかにも優秀であるようなイメージのセールスを多くの人が経験しています。

## 9割がインデックスに届かない

アクティブ型投信の9割が、上回ろうとする基準のインデックスに届いていない事実があるのですが、日本では過去、ほとんど報道されていませんでした。おカネ学ではずっと教えちゃっています。すごい情報だと思いませんか？

次の図は「S&P Indices Versus Active(Spiva)スコアカード」のデータで、**2021年12月31日までの過去20年間**で、アクティブ型投信の運用結果がそれぞれ目標とするベンチマーク(基準)に届いていない割合です。投信分類で**大型株の94%、中型株の92%、小型株の93%**にもなっています。株式カテゴリーだけでなく、債券カテゴリーも含めて**「アクティブ型」投信のほとんどが「手数料控除後」ではインデックスのリターンに届いていません。**

びっくりしませんか？　高い手数料を払うアクティブ運用ですが、実は20年で約9割の運用結果が市場平均(＝インデックス)に届かないんですよ。

わざわざ高いお金を払って、負ける確率の高いほうに投資するなんて！

おカネ学では**低コストインデックス運用の王道は実は「海外ETF」**だと考えていますが、日本のiDeCoでは海外ETFは投資対象商品ではありません。そこで、iDeCoでは、コストの安いインデックス型投信を選んでください。

**アクティブ型は過去20年で9割が指標に負けている**

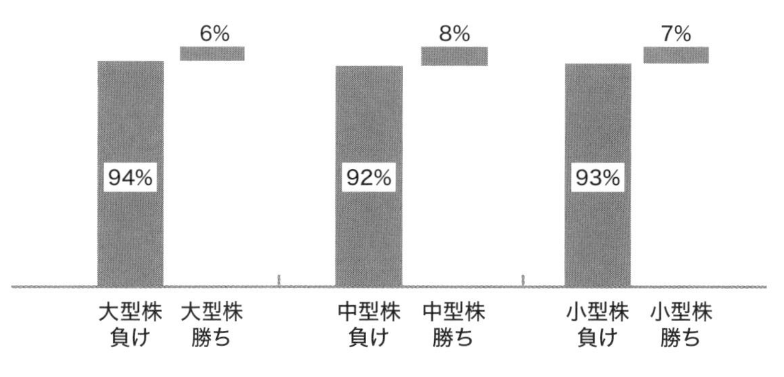


Spivaスコアカードをもとに作成　　RIA JAPAN おカネ学作成　©2022　おカネ学(株)

- **アクティブ型は過去20年で9割が指標に届かない**
- **低コストインデックス運用の王道は海外ETF**
- **iDeCoでは低コストのインデックス投信を選ぶ**

4-5

# 選ぶならインデックス型！世界の常識！

iDeCoやつみたてNISAの投信商品ラインナップにはアクティブ型も並んでいます。アクティブ型への投資をしなくてもインデックス型投資だけで大丈夫です。

## 世界の投資家の資金はETF・インデックス運用へ

世界中で**ヘッジファンド投資やアクティブ型投信を解約して、低コストのインデックス運用に切り替える動きが加速**し続けています。

アクティブ運用の投信は資金流出(図の下方向)の傾向が続いています。

代わりに資金が集まっているのが、インデックス(パッシブ)運用です。特に**ETF**＊1**に資金が集まっている**のがよくわかりますね。

ETFはインデックス型運用の中でもさらに信託報酬等のコストが低いものがあります。世界的に著名な海外ETF群の中には、信託報酬が0.03％水準のものまであり、**低コストインデックス投資の王道は海外ETF**であるといえるでしょう。

iDeCoの投信のラインナップには残念ながらETFはありません。代わりに低コストのインデックス投信を選択してください。従来型のNISAではETFを使って投資ができます。NISAでは低コストのETFへの投資を選択することによって、究極の低コスト運用を実現することも可能です。

## インデックス運用、アクティブ運用のおさらい

皆さんがいつもニュースで聞く「日経平均株価」のように指標となるものが「インデックス」です。インデックスは日本だけでなく、世界中の国の株価を示すインデックスが多く存在します。米国ならばNYダウ30やS&P500、

＊1　ETFについては6-3、9-6、9-7で詳しく解説。

ナスダックといった指数です。先進国だけでなく、ブラジルやインドネシア、台湾等新興国の指数もあります。また、金（きん）や銀、原油といったコモディティ（商品）や、農作物の穀物等、実に様々な指数があります。

アクティブ運用はインデックス運用に比べ、コストが高い傾向があります。しかしアクティブ運用は、リターンがインデックス運用に劣る場合が、日本でも約7割から8割あるとも言われています。iDeCoやNISAの投信の選択では、インデックス型をメインに考えることで十分です。

## 資金流入・流出データ2021

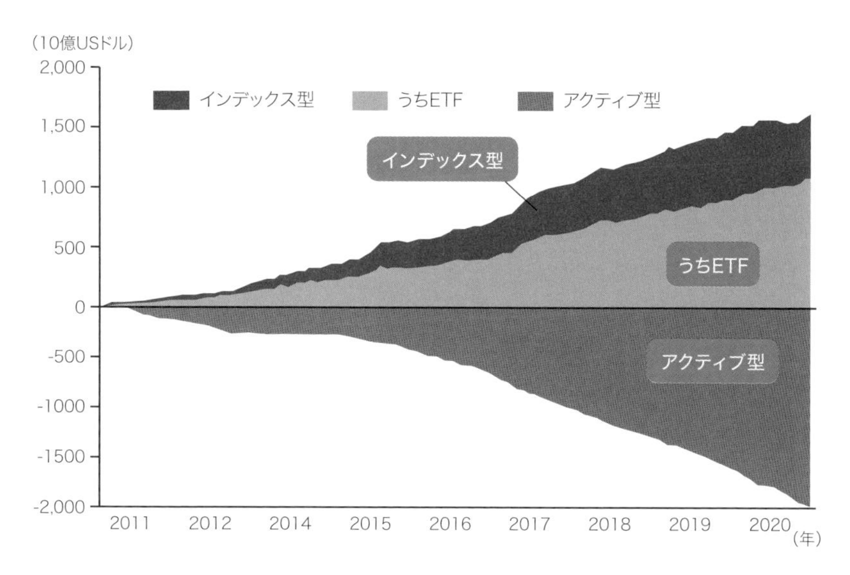


出典：Investment Company Institute「2021 Investment Company Fact Book」
翻訳：RIA JAPAN おカネ学（株）

- アクティブ型は資金流出
- インデックス型、特にETFに資金流入
- 日本の株価だけでなく様々なインデックスがある

4-6

# 運用成果で資産が米国では2倍以上に増加！

お金が2倍になった！　ウラヤマシイですよね。米国の資産運用のリターンが20年間で2倍になったのです。日本は1.2倍でした。この差は何なのでしょうね？

## 家計リターン米国2.0倍、日本は1.2倍

資産運用は怖いと思っている人が多いと思います。「損しそうだから」という理由でしょうが、きちんと勉強すればトクするケースもあります。

運用リターンによる米国の家計金融資産は、1998年から2018年の20年間で、なんと2.0倍になっています。金融資産が増えることは資産形成に役立ち、将来の安定的な生活に備えることができます。

日本はどうかというと、20年間で1.2倍にしかなっていません。この差の理由は何でしょうか。

## 違いの理由の1つはポートフォリオの内容

答えの1つはポートフォリオの内容の違いです。

アセット・アロケーション（asset：資産、allocation：配分）で、株式や債券、ETFや投資信託、定期預金等に何％ずつ投資するかをプランし、**具体的にAの株式●％、BのETF○％と決めたものがポートフォリオです。**これらの内容が日米で大きく違うのです。

定期預金や預貯金は元本確保型で、リスクはほぼゼロでしょう。しかし、現状の低い金利のもとでは、日本円の預貯金に配分して「資産が倍になる」ということは、まず見込めません。

## 運用リターンによる日米の家計金融資産の推移

米国の家計金融資産リターン：2.0倍
日本の家計金融資産リターン：1.2倍
（1998～2018年　20年間リターン）

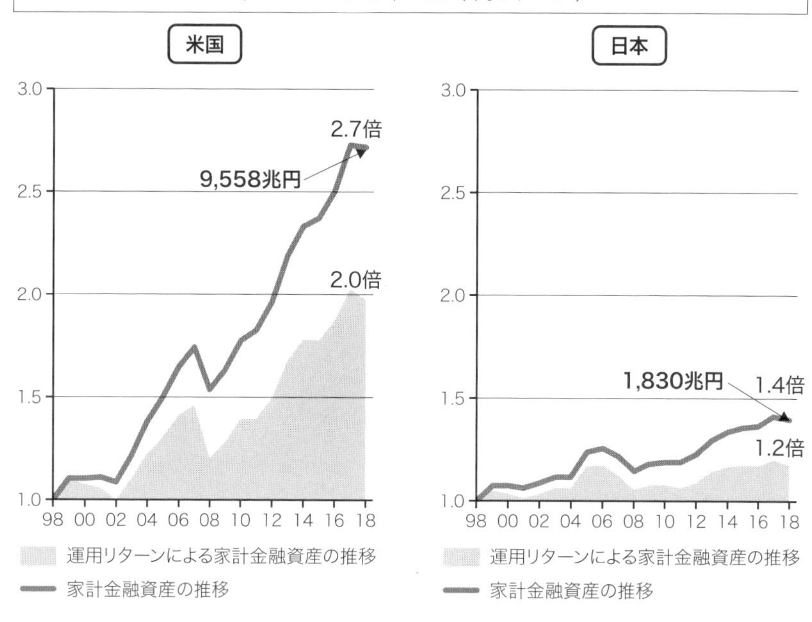


（資料）FRB、BOE、日本銀行資料より、金融庁作成。
出典：金融庁「人生100年時代における資産形成」（2019年4月12日）

・米国の家計リターンは20年で2.0倍に
・日本の家計リターンは20年で1.2倍に
・日米のリターンの違いの1つはポートフォリオの内容

4-7

# 資産倍増のコツ、「72」「有価証券投資」「財産所得」とは？

預金運用では資産倍層に7200年かかる？　米国では財産に働いてもらう所得が多いのです。そのためには有価証券投資がキーワード、資産配分の違いを知ることです。

## 資産倍増のコツ、「72の法則」とは？

**72の法則**という公式があります。持っている資産を倍に増やすまでの期間を出す、便利な公式です。その公式は「**72÷金利≒資産倍増に必要な期間**」です。

たとえば**金利3%**で資産を運用し続けられたとすれば、**72÷3≒24年**、**24年で資産が倍増**できるわけですね。

では、金利0.01%だとどうなるでしょうか？

72÷0.01≒7200年。0.01%の運用では、一生涯で「資産を倍にすること」は、まったく不可能であることがわかりますね。リスクを取らずに元本確保型にしていては、資産増加の見込みは期待薄だとわかります。

日本人は、このような金融に対する知識を学校教育で学ぶ機会が不足しています。世界の国々では、命の次に大事な「お金」の知識を学んでいます。

## 米国の家計55.2%が有価証券、日本は預貯金が54.3%

日本で預貯金をするのと同じような感覚で、米国では有価証券に投資を行っています。

2021年8月の日銀の「資金循環の日米欧比較」によると、日本の現預金の割合が54.3%、米国の有価証券投資がほぼ同じ比率の55.2%です。

日本での有価証券投資の比率はわずか15.7%しかありません。米国では大きなリターンが期待できる有価証券に投資を行っている結果、長期で大きなりターンを生んでいるわけです。

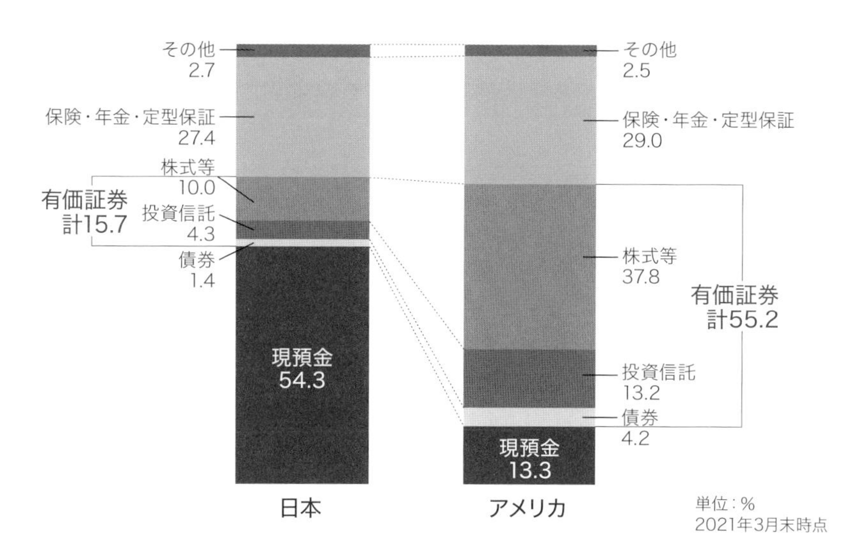


出典：2021年8月20日公表日本銀行調査統計局「資金循環の日米欧比較」より
「有価証券計」はRIA JAPAN加筆

## 財産に働いてもらう米国人〜不動産と金融商品

金融商品に投資した成果や不動産の賃料を受け取る「財産所得」が、米国では生活を支えています。働いて稼ぐ所得が「勤労所得」です。

財産所得と勤労所得の比率は、米国では3：7で、日本では1：9です。

リスクを取った資産配分（アセット・アロケーション）を用いた結果、その投資した財産が配当や利息等を生んでくれているわけです。イメージとしては、賃貸物件を持っている大家さんが賃料を受け取っているように、金融資産等から定期収入をもらえる形になっていると考えられます。

実際に**米国の所得の3割は財産所得で、財産に働いてもらっている**わけです。

まさに投資ですね。

現在、わずか「15.7%」しかない、日本の有価証券投資を米国並みの「55.2%」までに引き上げる行動をとり、長期投資に適した商品を選択することで、「米国の家計資産リターン2.0倍」という大きなリターンを目指すことも不可能ではないのです。

**家計所得の構成比**

米国の財産所得 3：7 勤労所得
日本の財産所得 1：9 勤労所得

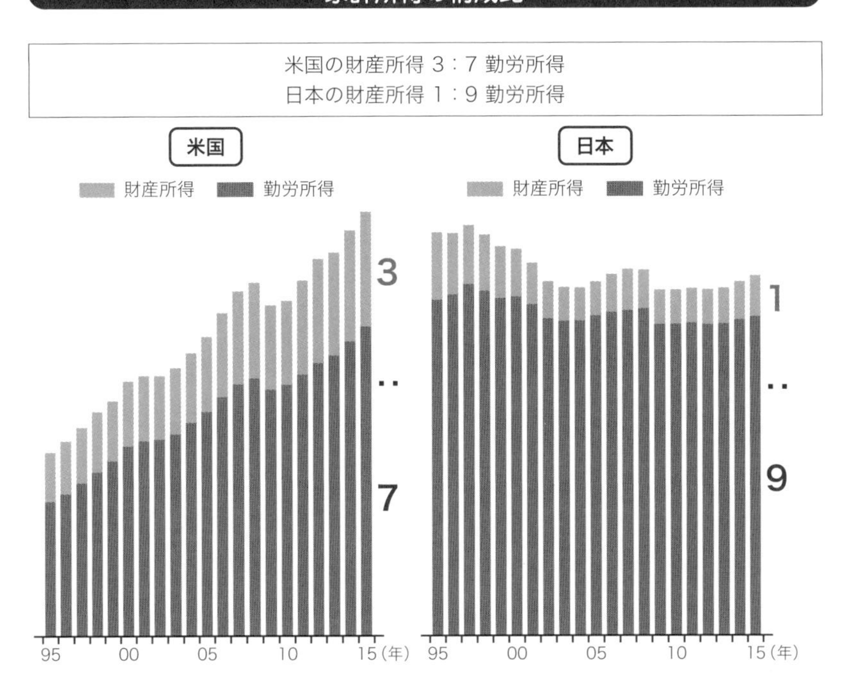


出典：金融庁 総務企画局 政策課「つみたてNISAに関する説明会～職場つみたてNISAの活用～」（2018年6月）
日本：内閣府、米国：Bureau of Economic Analysis

## 商品乗り換えでリターンが下がる結果もあった

FP（ファイナンシャルプランナー）もあまり知らなかった事柄なのですが、日本の投資信託の平均保有年数が「わずか2.15年」という時期もあったのです。なぜ投信保有期間が短かったのでしょうか？

それは金融機関の担当者から「**乗り換え売買**」を促された結果と考えられ

ました。2～3年で転勤し担当が変わる都度、「今はこのテーマです！」といった具合にセールスをされることを、多くの投資家が経験していました。

金融庁は銀行の投信販売について「経営は販売手数料を重視し、その観点から営業現場へのインセンティブ付与を行ってきた。このため、顧客において2～3年の短期間での乗り換え売買(これにつながる投資信託商品の頻繁な組成と償還)が行われる傾向がみられた」と指摘していました。



## 乗り換えの結果、リターンはマイナス3%に

しかし、**乗り換えるとそのたびに手数料(＝コミッション)を投資家は支払う**場合もあります。10年間に4回の乗り換えで、その都度3.15%の販売手数料を払った前提で金融庁が出した試算があります(「金融モニタリング・レポート」2014年7月4日)。

「売れ筋投資信託の2年ごとの乗り換え投資の試算」の結果は、2003年から2013年まで10年で運用成績はマイナス3%になった(分配金受け取りの場合)というものでした。

金融庁長官は日本の純資産上位10位の投信について「販売手数料の平均は3.1%、信託報酬の平均は1.5%となっています。世界的な低金利の中、こうした高いコストを上回るリターンをあげることは容易ではありません」と指摘しました。こうした金融庁の指導もあり、投資信託の保有期間は伸びつつあります。また、投資信託の購入時手数料を無料化する事例も増えています。しかし通常、投信の乗り換えはコスト高であると覚えてください。

- **日本の預貯金と米国の有価証券投資比率はほぼ同じ、54～55%**
- **有価証券投資比率は日本では15.7%、米国では55.2%**
- **米国では財産所得が３割もある**
- **有価証券投資を増加し、米国並みリターンを目標に**

4-8

# スタート時無料でも実際には高いコストに注意！

投資信託の販売時手数料を無料にする金融機関が増えています。でも実際には持っているだけでかかる費用があるために、高コストになる場合に注意してください！

## 販売時無料でも実は高い運用コストの場合がある

投資信託を買う時の手数料を無料にする金融機関が急速に増えてきました。コストが下がることは嬉しいですよね。でも実はたいしてトクになってない場合があります。

一般的な投資信託の運用コストには、**①販売時の手数料**、**②信託報酬等**、という**2種類のコスト**が実質的にかかっています。特に②の信託報酬等（運用管理費用）は、預けている財産から自動的に引き落とされているので、コストがかかっていることに気づいていないお客様が多いのです。

購入時の手数料が無料でも、信託報酬が2％の投資信託を選んで10年間運用すると、2％×10年＝20％ものコストを払っていることと同じなのです。iDeCoや確定拠出年金という、儲かった部分が非課税になる有利な制度も、そもそも「儲からなかった」ら、意味がありませんよね？

これはNISAや通常の投資でも絶対に忘れてはならない、とても重要なポイントです。「ハイ、ここは試験に出ますよ！」というくらい重要です。

**信託報酬等の水準が高いものを選ぶと、「高コストの運用」に**なります！

ですから、iDeCoの場合であれば、信託報酬は0.40％未満のものから選ぶことが重要です。販売時手数料無料（＝ノーロード）でも注意してください。

投資信託の乗り換え自粛後の2015年から残高が急増した商品がファンドラップです。こちらも販売時手数料無料が多いですが、実は、**①ラップフィー**、**②投資信託の信託報酬等**、という**2種類の実質コスト**がかかっています。合計すると2%を超えるようなコスト高のものがあるので、こちらも注意してください。

## 米国の信託報酬平均は0.06%も！　ケタ違いの安さ

米国では投資信託の信託報酬等の水準も年々低下しています。アクティブ型では株式型0.71%、債券型0.50%という水準です。これがインデックス型になると、驚くべき低コストになっています。株式型・債券型共に0.06%という水準なのです。

2016年当時、売れ筋の投資信託5本の平均の信託報酬は、日本が1.53%、米国は0.28%という水準でした（金融庁「国民の安定的な資産形成とフィデューシャリー・デューティー②」2016年8月）。当時でもケタ違いに米国の運用コストが低かったのですが、米国ではさらに低コスト化が進んでいます。

**米国の投資信託のコスト安はケタ違い**

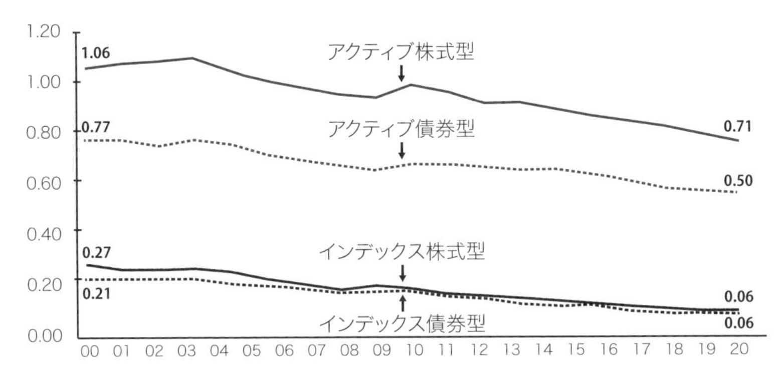


出典：Investment Company Institute「2021 Investment Company Fact Book」
翻訳：RIA JAPAN おカネ学（株）

- 購入時手数料が無料でも信託報酬が高いと高コスト運用に
- ファンドラップではラップフィー＋信託報酬がかかる
- 低コストのインデックス型への投資をまず考える

4-9
# 分散投資ってどうすればよい？

「卵を1つのカゴに盛るな」って時々聞きますが、投資とどんな関係があるのですか？　よく聞く「分散投資」をやりたい場合に、いったいどうすればよいですか？　という疑問にお答えします。

## 資産を集中させるとすべて失うことも

「**分散投資**」という言葉を耳にする機会も多いと思います。

資産運用の格言に「卵を1つのカゴに盛るな！」というものがあります。この意味は、卵は壊れやすいので複数のカゴに分けて（分散）運んだほうがよいというものです。ある分野で世界シェア2位以内の、誰もが優良企業と信じた企業が、1つの欠陥で民事再生法の適用を受けました。資産をこういった会社に集中投資していたら、財産をすべて失う結果もあるのです。

## インデックス投資なら簡単に分散投資

日本航空（JAL）、日本振興銀行、協栄生命保険、そごう……年配者ならば聞いたことのある名前が多いと思いますが、実は倒産した経緯のある会社ばかりです。タカタやレナウン、レンタカーのハーツ、オーディオのオンキヨー、化粧品のレブロンと聞くと、ニュースで耳にした銘柄かもしれませんね。

これらに投資をしていた人は大きな影響を受けたでしょう。知名度もあり、企業規模も大きく、テレビCMを目にしたこともある親しみやすい株式銘柄もありました。

今まで好業績でも、今後も株価が堅調とは限らない事例が含まれています。今までの業績は順調でも「事故」や「食中毒」といった、予想もしていなかった「想定外」の事柄で予想外に一気に経営危機となる場合もあるわけです。

集中投資は上手くいけば大きな成果を得られることもある一方、経営破綻や経営不振等の場合の影響も大きいといえるでしょう。

そこで「インデックス投資」の活用を検討してほしいのです。たとえば日経平均株価といった、日本を代表する225銘柄の指数(インデックス)に連動する投信の場合、1銘柄の組み入れ比率は最大でも約8%、上位5銘柄合計でも約18%ですから(2022年4月28日時点)、そのうちのどこかが破綻した場合の影響も限定的であるといえるでしょう。日経225インデックス1銘柄に投資することは、**225銘柄のまとめ買い**ができるのと同じことです。そして結果としてリスクの分散ができるわけです。日経225では様々な業種に投資することにもなり、破綻リスクだけでなく、業種の面でも集中を回避したリスクの分散が可能になります。また個別株式では実際に売買が少ないと価格の変動が大きくなりがちですが、インデックスでは売買が活発なので、換金化しやすく、価格変動(リスク)が抑えられます。

## 卵を1つのカゴに盛るな!

卵を1つのカゴに入れていた場合、1つのカゴを落としたらすべて割れる

複数のカゴに分ければ、1つ落としても残りの卵は無事

- **卵を1つのカゴに入れると、全部割れるリスクがある**
- **集中投資は特に破綻時の影響が大きい**
- **インデックス投資活用で手軽な分散投資を**

4-10

# リスクが高くても運用プラスとは限らない

リスクを取っているのだから、儲かるものだというイメージを持っている投資家も多いです。でも高いリスクを取って大きなロスになる場合だってありますよ。

## プラスの印象が強い図表のイメージ

下の図は、リスクとリターンの大小によって投信を配置したものです。一番左の「元本確保商品」はローリスクローリターン、一番右の「外国株式型」はハイリスクハイリターンということがわかります。

しかし、この図からはリターンが低く、コストによっては運用結果がマイナスになるケースをイメージしにくいでしょう。リスクというのは「価格の振れ幅」ですから、「リターン：＋」「ロス：－」の両方があり得ることを示す図が実際には正しいと思います。

主な投資信託（リスクとリターンの関係）

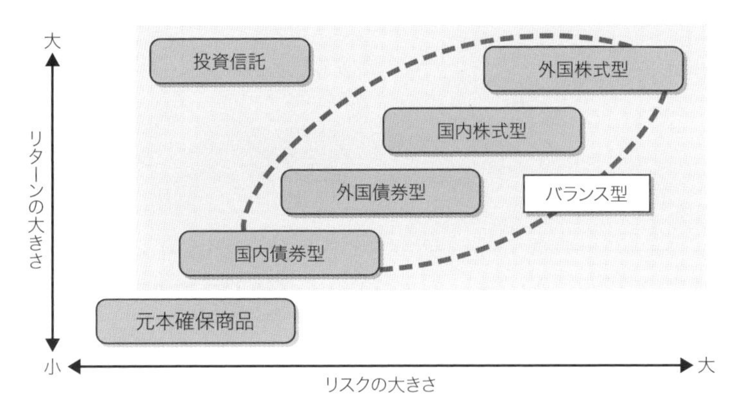


出典：iDeCo公式サイト「資産運用の基礎知識」

おカネ学が投信のリスク・リターンの図を作るとこうなります。

ポイントはロスの大きさはコストの分、下振れするということです。下方向の矢印は、コスト分長くなっていることを理解してください。リスクは小さいものの、低金利下でリターンが見込めない**元本確保型や国内債券型で、高いコストの商品に投資すると「儲けゼロ、ロス増大」と**なってしまう場合すらあるのです。

さらに付け加えるならば、外国為替リスクの過少評価傾向があると思います。為替の変動の幅が株式の変動によるリターンよりも大きい場合も考えられるのです。新興国通貨を含んでいる場合は特に振れ幅（リスク）が高いといえます。表には記載がありませんが、その意味で「外貨預金」も「外国債券型」に近い位置づけとなります。両替コストが高い場合は「儲けゼロ、ロス増大」の確率が上がってしまうのです。

**おカネ学　リスク・リターンの概念図**

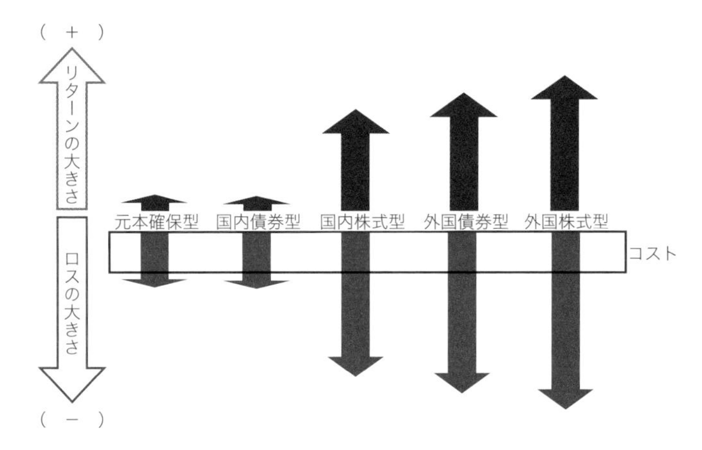


RIA JAPAN おカネ学作成　©2022　おカネ学（株）

- **リスク・リターン概念図には実際はマイナスもある**
- **コスト高ではロスになる確率が増える**
- **為替リスクは過小評価されがちだが、実は債券でも外国債券の為替リスクは高い**

# 4-11 ポートフォリオって何？参考事例、教えてあげる！

ポートフォリオって、時々聞くことがありますが、何のことだかよくわからない人、勉強しておきましょう。運用が上手くいっている事例も教えてあげます。

## ポートフォリオって何?

ポートフォリオとは、保有資産の組み合わせや割合などを意味します。具体的な銘柄まで落とし込んだものをポートフォリオと呼ぶ場合があります。資産構成割合はアセット・アロケーションですが、ポートフォリオ*1も同じ意味あいで使われる場合もあります。

具体的なポートフォリオ例を挙げれば、外国株式に30%投資、外国債券に25%投資、国内株式に30%投資、国内債券に15%投資、といった具合です。

外国の株式や債券に50%以上投資して大丈夫？　リスクを取りすぎではないか、日本人なら普通は日本株中心と考える人も多いかもしれません。でも世界中の投資家は世界中の資産に投資することがむしろ主流なんですよ。

長期的な運用では、短期の市場の動向ではなく、基本となる「資産構成割合」を決めて長期間維持していくほうが効率的との考え方があります。

## 私たちの年金積立金、50%は外貨なの?

私たちが納めた国民年金や厚生年金のうち一部は、厚生労働大臣から寄託を受けたGPIF(ジー・ピー・アイ・エフ)という機関が運用をしています。

Government＝政府の、Pension＝年金、Investment＝運用・投資、Fund＝資金管理団体、ということです。日本語の名称では「年金積立金管理運用独立行政法人」ですが、一般的にGPIFと呼ばれています。

GPIFは長期的に維持すべきポートフォリオを定めて、安全かつ効率的な

*1　GPIFはアセット・アロケーションをポートフォリオと表記。

運用に努めています。

運用資産額は193兆126億円(2022年6月末)、極めて大きな水準です。2021年度の収益率*2は5.42%で、収益額はなんと10兆925億円にもなっていました。2001年度から2022年6月末までの累積では収益率は3.56%/年、累積収益額は101兆円を超える水準となっています。

GPIFがどうやって運用益を出しているか、知りたくないですか?　GPIFの基本ポートフォリオが図の内側で、**外国株式+外国債券の運用が約50%**を占めているのです。2022年6月末の実際の割合は49.82%となっています。

GPIFのアロケーションでは、国内債券にも表面上25%という配分です。2022年8月現在、国内債券ではリターンを見込むことが難しいため、実際には「為替ヘッジ付き外国債券」が、国内債券として区分されています(中身は外国債券)。皆さんがiDeCoやNISAで投資をする際にGPIFの基本ポートフォリオを参考にする場合、水増しされている国内債券の配分に注意が必要です。

## 資産構成割合(年金積立金全体)

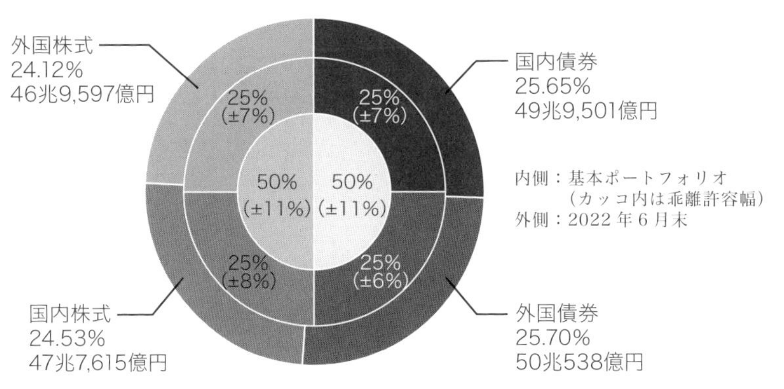


出典:年金積立金管理運用独立行政法人「2022年度第1四半期状況(速報)」

- **日本の年金、GPIFは外国株+外国債券に約50%投資している**
- **ポートフォリオはGPIFのWebでは「資産構成割合」と同義**
- **GPIFの収益率は3.56%/年(2001～2022年6月末累積)**

ここがポイント!

*2　2021年度は2021年4月～2022年3月末のデータ。2022年6月データとは別データ

4-12
# リバランスって何？

長期運用では、基本ポートフォリオの割合に沿って運用するのがよいという考え方もあります。でも運用の結果は、プラスもマイナスもあります。割合が崩れた場合にどうすればいいのでしょう？

## 運用した成果はプラスだったりマイナスだったり

100万円で運用をスタートしました。A、B、C、Dにそれぞれ50％、25％、15％、10％という配分です(次ページ図・左)。運用した結果、A、B、C、Dは59万円(＋9万円)、22万円(マイナス：▲3万円)、13万円(▲2万円)、16万円(＋6万円)でトータルでは10万円増加となりました(次ページ図・中)。

このケースでは当初50％の配分であったA資産の割合が全体の54％になっています。一方、当初25％の配分であったB資産が20％まで減少してしまいました。今後A資産の価格が下落した場合には、影響を受ける割合が大きくなります。これを**当初のアセット・アロケーション(基本ポートフォリオ)の割合に戻すことを、「リバランス」といいます。**

リバランス(rebalance)とは、バランス(balance)を再び(re)調整することです。価格が上昇し割合が増えたものは売却して元の割合に戻し、価格が下落したものは購入して元の割合に戻すものです。

A資産、D資産が上昇した結果、割合が増えたのでA資産4万円、D資産5万円をそれぞれ売却します。逆に割合が減ったB資産を5.5万円、C資産を3.5万円、それぞれ追加購入するわけです。この場合、全体の金額が10万円増えたため、10％の割合は金額では当初の1万円から1万1千円になっています。従って儲かった部分全部を売却するのではなく、リバランス後の残高を計算してから、その差額を売却・購入するわけです。リバランスを行い比率は元のA→50％、B→25％、C→15％、D→10％に戻りました(次ページ図・右)。

## リバランス

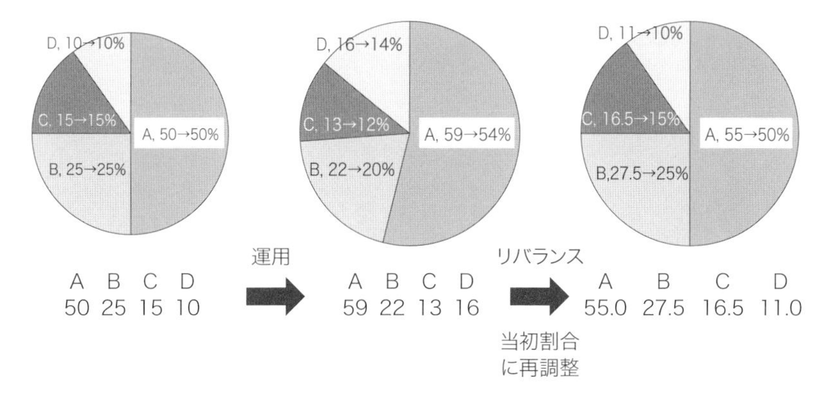


RIA JAPAN おカネ学作成　©2022　おカネ学（株）

## リバランスで注意すべきことは、やはりコスト

繰り返しお伝えしますが、運用で考慮すべきはコストです。一般的な課税口座であれば、リバランスを行うと次の理由で投資家の資産は減少します。

**①売買時に手数料(販売手数料)がかかる**

**②利益に対して20.315%の税金を納付する必要がある**

投信では売却時の手数料、購入時の手数料を設定しているものについては注意が必要です。しかし、iDeCo等(企業型DCを含む)やNISA、つみたてNISAには、販売手数料がないものもあります。また、iDeCo等であればスイッチングの手数料がかからないケースが多いでしょう。やはりiDeCo等が最強の運用法といわれる理由がここにもあります(注：NISAの場合はスイッチングできない金融機関もあります。またスイッチングによりNISAの非課税枠を消化する形となります。スイッチングは7-7、7-8で解説)。

- **リバランスとは基本の資産構成の割合に調整し直すこと**
- **一般的な課税口座ではリバランスにはコストが発生する**
- **iDeCo等なら売却益非課税、乗り換え時のコストもない場合が多い**

4-13

# リターン「4.86%」と「▼2.43%」、あなたはどちらを選ぶ？

**お金持ちの富裕層は、短期売買でお金を増やすより長期運用でお金を増やすイメージです。なぜ長期運用がよいのかお教えします！**

## 「高値で売って、下がったらまた買おう」は実現できない

株式投資をする上で「安く買って高く売る」ということが原点だと考える人も多いでしょう。しかしながらそんなにタイミングよく売却して、また下がった時に再参入するということができるのでしょうか？

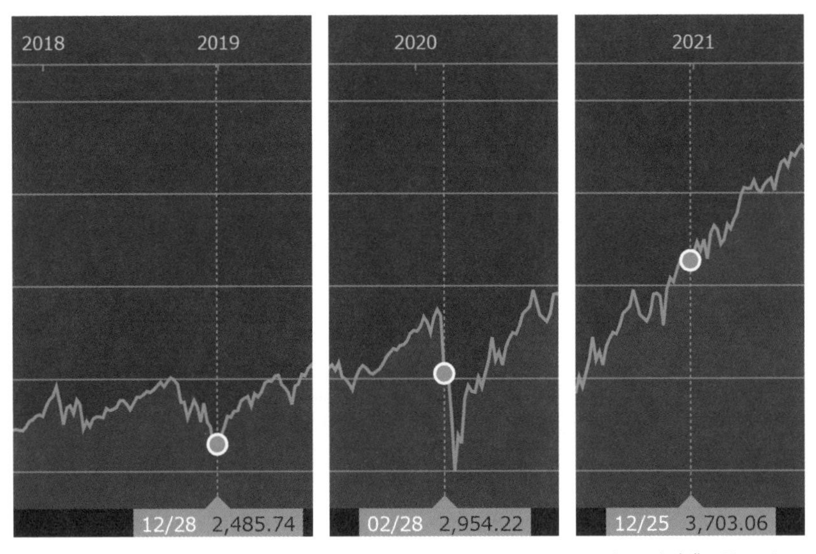


チャート出典：Bloomberg

2018年末、2,485.74（左図）で購入。その後、2020年2月末には2,954.22（中図）でしたが、COVID-19（いわゆるコロナ禍）の影響で急落しました。下

がり始めて怖くなって売却したとします。累積では18.8%のリターンです。
そして3/20には2,304.92まで急落します。大きく下がる前に売ってよかったと考えるでしょう。しかし、2020年12月、気づけばいつの間にか3,703.06(右図)まで、あっという間に上昇してしまいました。売却した水準よりもはるかに高くなっていたので、売った水準2,954.22(中図)まで待とうと考えたとします。しかし急激に上昇を続け、遂に2021年12月には4,766.18という水準まで上昇してしまいました。



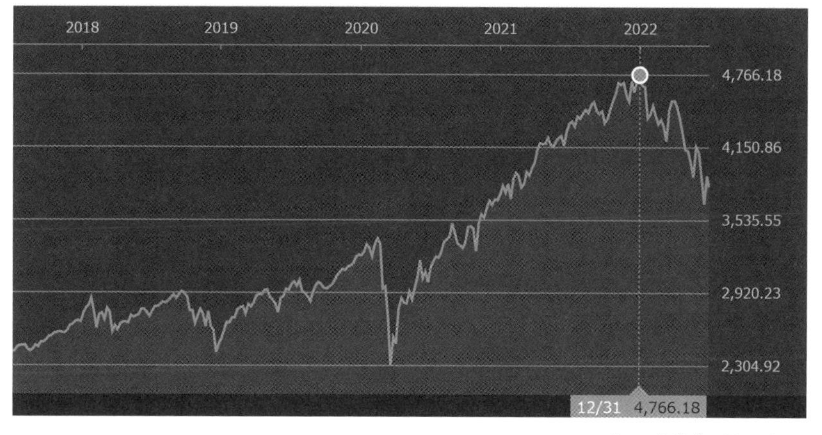


チャート出典：Bloomberg

2018年末に購入したまま保有していたら、累積リターンは91.7%という水準でしたが、2020年に18.8%で利益確定、その後参入機会を失った場合には大きなリターンを逃した結果となります(いつもこのようになるとは限りません)。

## S&P500指数は約40年で16倍以上

米国の株式インデックスのS&P500指数を約40年という長期で捉えた場合、16倍以上の伸びとなっていました。しかし、短期間の売買を繰り返す投資家がこのインデックス以上の成績を上げることはできたでしょうか？繰り返しになりますが、20年で9割のアクティブ型がインデックスを下回る事実があります。1割の、インデックスを超えるファンドを選ぶことができた投資家は大きなリターンを得ることができたかもしれません。しかしアクティブ型のファンドを選んだ投資家の9割は、インデックスのリターンには届かないでしょう。

## 「強気相場のリターンは、弱気相場の損失を補って余りある」

見出しの言葉はETFプロバイダー（メーカー）で有名な、バンガードの最高投資責任者グレッグ・デイビス氏の2019年10月25日のニュースレターの言葉です。

このグラフではMSCIオール・カントリー・インデックスという指数を使っています。世界の株価動向を長期的な視点で見ると、**世界的な強気相場によるリターンは弱気相場の損失を補って余りある**ことがわかります。長期運用のケースでは大きな下落があってもいずれその下落分を超える上昇を続けてきたのです。

**強気相場のリターンは弱気の損失を補って余りある**

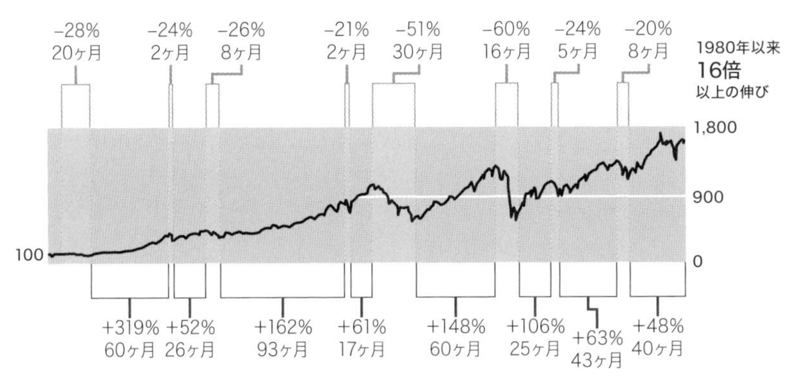


出所：トムソン・ロイターのデータに基づきバンガードが算出。リターンは1980年1月1日から1987年12月31日までをMSCIワールド・インデックス、1988年1月1日から2019年6月30日までをMSCIオール・カントリー・ワールド・インデックスにより、1979年12月31日を100として算出

## リターン「4.86%」と「▼2.43%」、あなたはどちらを選ぶ?

再びS&P500インデックスに話を戻します。

- **2000-2018年のS&P500のリターンは4.86%（複利）でした。**
- **しかし同期間中で最もリターンの高かった10日間を除くと、S&P 500インデックスの年複利リターンはわずか1.10%となります。**
- **最もリターンの高かった25日間を除けば、年複利リターンは−2.43%になります。**
- **市場の最高値と最安値は得てして判断が難しく、市場のタイミングを図って行う短期売買が成功するというのが誤った通説とされるのは、こうした理由によります。**

出典：2019年10月25日グレッグ・デイビス「終わりのない弱気相場はない」より

4

## 投資を止め市場から退出すると、結局もったいない結果に

ずっと投資を続ける（市場に留まる）投資家は4.86%のリターンが得られました。しかし、**売却して再参入の機会を逃すとリターンは減少する**のです。大幅な下落の後に大幅な上昇が来ることが過去多く発生しています。そして、わずか25日間の、最も高いリターンだった日を除外すると、リターンはマイナス2.43%となってしまう、というのです。そして、短期売買は成功はしないと語ったのです。

COVID-19の発生時、とあるプロのファンド・マネージャー（FM)は「第2波がくる。だからキャッシュで待機資金を持っています」と言っていました。また当時、回復は「V字型」ではなく「L字型」との見方が大勢でした。しかし結果はどうだったでしょうか？　そう、「急回復した」のです。プロのFMでも待機資金を持った者は、参入機会を失い、上昇の機会を逸し、リターンがインデックスに劣る結果となったのです。

- **タイミングを図る投資に必勝は期待できない**
- **大きく下がる前に売って、再参入は実際には難しい**
- **強気相場によるリターンは弱気相場の損失を補って余りある**
- **市場から退出していると、上昇機会を失う**

4-14

# 富裕層は何に投資？　世界基準は何？　所長が解説！

ここは所長の私から解説します。資産1億円やそれ以上のお客様向けにプライベートバンキング（PB）という金融サービスがあります。私自身が日系銀行、米系証券、欧州系信託銀行でそれぞれ長年PBを経験し卒業しました。様々な金融商品を組成するコストやリスクなど、経験した者しか知らない情報に触れた立場で、投資家の皆様に知ってほしい事柄をお伝えします。

## 「なんちゃって富裕層サービス」には要注意！

まずは富裕層向けサービスと称しているものでも、様々なレベルがあることを知ってほしいと思います。ひとことで言うならば、「なんちゃって富裕層サービス」が実は蔓延しています。富裕層は「権威付け目的の自称PBサービス」が世界水準のPBとはまったく違うことを知っています。

私のPB勤務時代のことですが、仕組み商品の組成の事例をお話しします。デリバティブズを利用した仕組み商品を組成する時、日系金融機関の提供する商品は有利な条件とはかけ離れたものでした。富裕層からの依頼で、外資系PBで同じ条件で商品組成すると、日系金融機関の条件をはるかに上回る商品が出来上がりました。テーラーメードで商品を組成が可能で、世界の一流の相手方（カウンターパート）にアクセスできるかどうかの差なのです。一方日系の場合、系列の現地法人に依頼して条件を出してもらうため、一流プレイヤーの条件よりも大幅に劣る悪い水準だったのです。コスト高でもグループの収益を優先し、系列会社を使わなければならない文化もあったのでしょう。富裕層の人々の利益よりも自社収益を優先する姿勢は、PBマインドとはかけ離れたものなのです。

## 「自称PB」「富裕層マーケティング」には注意！

イメージ戦略の自称PBにも注意が必要です。世界水準のPBではない金融機関や、一時だけ日本進出しすぐ撤退した金融機関がありました。これら自称PBに勤務した人々が、自称元PB勤務としてコラム執筆等メディア進出しているケースがあります。またPBマインドを持たなかったため富裕層から相手にされず、早々に離職を強いられた人物が書籍出版しているケース、法令違反で国内では業務が行えず海外から日本へ出張してセミナー営業している人物等も散見されます。これら自称元PB勤務者は、コストの高い海外のヘッジファンドや自社関連ファンドの販売等に加担し、収益の一部を得ています。または独立系アドバイザーと称しながら実際は金融商品仲介業として、販売者の立場をとるケースが多いのです。販売者がすべてNGであるわけではありませんが、日本ではきちんとコスト開示をしないケースがほとんどで、実際には高いコストの資産運用となるケースが多いのです。米国、英国等で行われている、様々な手数料の全面的開示が日本ではされておらず、「隠れコスト」があります。仕組み債でマージンを開示せず収益にしているケース等もあります。

## 経験豊富な富裕層が重視するのは流動性、透明性

富裕層でもリスク許容度や選択する金融商品は様々です。断定することはできないのですが、私見では上場オーナーやIPO関連で財を成した人々は事業リスクを意識しています。アドバイザーに期待するところは、ハイリスクな暗号資産やプライベートエクイティではないのです。「リスクは事業で取っている。家族を守るための安定した運用で、高いリターンは不要」という声が多く聞かれます。

仮に経営会社が経営破綻してしまうと、ほとんどの財産である自社株価値が損なわれます。ある程度の金融資産で安定的な運用を長期で行い、家族を守りたいというニーズがあるのです。そこでETFやREIT等、透明性があり、イザという時に換金できる流動性の高い商品が好まれるのだと思います。これらの低コスト商品も対象にするアドバイザーが求められているのです。

4-15

# 何が上がる資産クラスか、実は誰もわからない

金融機関のおススメやランキングを信じて投資したのに、成績はサッパリでマイナス運用。1番を当てる運用は卒業しましょう！

## 「人気がある、おススメ」商品の価格が上がらない理由

iDeCoやNISAで投資する「金融商品」を選ぶ時に、売れているランキングを参考にする人もいるでしょう。しかし、「金融機関のおススメ」「人気があ

**主要4資産と分散投資した場合のリターンの推移（2006年-2021年）**

| | 2006 | 2007 | 2008 | 2009 | 2010 | 2011 | 2012 |
|---|---|---|---|---|---|---|---|
| 第1位 | 外国株式 23% | 外国株式 4% | 国内債券 3% | 外国株式 37% | 国内債券 2% | 国内債券 1% | 外国株式 31% |
| 第2位 | 外国債券 9% | 外国債券 3% | 外国債券 -16% | 4資産分散 12% | 国内株式 0% | 外国債券 -1% | 国内株式 20% |
| 第3位 | 4資産分散 8% | 国内債券 2% | 4資産分散 -29% | 国内株式 7% | 外国株式 -3% | 4資産分散 -7% | 外国債券 19% |
| 第4位 | 国内株式 2% | 4資産分散 -1% | 国内株式 -41% | 外国債券 6% | 4資産分散 -3% | 外国株式 -9% | 4資産分散 18% |
| 第5位 | 国内債券 0% | 国内株式 -12% | 外国株式 -53% | 国内債券 1% | 外国債券 -14% | 国内株式 -18% | 国内債券 1% |

る」「過去のリターンが高かった」という理由で投資信託を選ばないよう注意です。人気が行き過ぎた価格を形成し、その後暴落する場合もあるからです。

金融機関のおススメは、販売者の高い収益が目的の場合もあります。**ランキングで上位の理由が強力なセールスの結果である場合も**あるのです。ランキングやおススメで選んだ商品が低迷することも十分ある話なのです。



※運用コストとして2021年12月末時点のイボットソン・アソシエイツ・ジャパンの分類に基づく各資産の平均信託報酬率（日本籍公募投信の信託報酬の純資産総額加重平均値）を、全期間に対して控除しています。運用コスト（年率）：国内株式：1.0%、国内債券：0.6%、外国株式：0.5%、外国債券：1.0%

※税金、及びリバランスに係る費用等の取引コストは考慮していません。利息・配当等は再投資したものとして計算しています。

※過去のパフォーマンスは将来のリターンを保証するものではありません。

〈データ〉国内株式：東証一部時価総額加重平均収益率／外国株式：MSCIコクサイ（グロス、円ベース）／国内債券：野村BPI総合／外国債券：FTSE世界国債（除く日本、円ベース）／4資産分散：国内株式、外国株式、国内債券、外国債券の4資産に25%ずつ投資したポートフォリオ、毎月末リバランス出所：インボットソン・アソシエイツ・ジャパン



| 2013 | 2014 | 2015 | 2016 | 2017 | 2018 | 2019 | 2020 | 2021 | 2022 |
|---|---|---|---|---|---|---|---|---|---|
| 外国株式 54% | 外国株式 21% | 国内株式 11% | 外国株式 5% | 国内株式 21% | 国内債券 0% | 外国株式 27% | 外国株式 10% | 外国株式 38% | ? |
| 国内株式 53% | 外国債券 15% | 4資産分散 1% | 国内債券 2% | 外国株式 18% | 外国債券 -5% | 国内株式 17% | 国内株式 6% | 4資産分散 12% | ? |
| 4資産分散 31% | 4資産分散 12% | 国内債券 0% | 4資産分散 1% | 4資産分散 10% | 4資産分散 -8% | 4資産分散 12% | 4資産分散 6% | 国内株式 12% | ? |
| 外国債券 22% | 国内株式 9% | 外国株式 -1% | 国内株式 -1% | 外国債券 4% | 外国株式 -11% | 外国債券 4% | 外国債券 5% | 外国債券 4% | ? |
| 国内債券 1% | 国内債券 4% | 外国債券 -5% | 外国債券 -4% | 国内債券 0% | 国内株式 -17% | 国内債券 1% | 国内債券 -1% | 国内債券 -1% | ? |

## 最も上がるカテゴリーを必ず当てることはできない

日本の年金GPIFのウェブサイトにも記載されていますが、次の年に最も上がる、**1番になる資産カテゴリーを必ず当てられる人はいない**のです。

代表的な4資産カテゴリーを外国株式、外国債券、国内株式、国内債券とします。2017年は国内株式が良い成績を上げ、21%の上昇でした。しかし翌年の2018年は、国内株式はマイナス17%でした。2021年は外国株式が好調でしたが、2022年も1番になるとは限りません。マイナスになり、最も悪い成績となる可能性だってあるのです。ウイルスや戦争等想定外の事態も起こります。

## アクティブ型を選ばずインデックス型を選ぶ合理性

資産分散の活用はアクティブ型でなくインデックス型を選ぶ選択に似ています。1年は成績のよかった投資信託も、20年期間で考えればインデックスを上回るリターンを得る確率が低いことは4-4で述べました。タイミングよく、1番を狙う投信に賭けることが長期投資でよい結果になるでしょうか？

資産運用のプロであるGPIFが1番当て集中投資をしていない意味を学ぶべきです。

## 資産分散は1番にならないがビリにもならない

GPIFは4資産を組み合わせた「4資産分散」という方法を取っています。この**4資産分散は5カテゴリーで成績1番にもなりませんが、ビリにもならない**のです。**長期の資産運用で安定的なリターンを目指す1つの方法**です。集中投資で1番を当て続けるという考え方を捨て去る選択です。ただし国内債券には現状資産配分をしなくてもよいです。リターンが見込めず、コストがそれ以上かかる場合が多く存在するからです。詳細は6-2で述べます。

- **ランキングで上位の理由が強力なセールスの結果の場合も！**
- **1番になる資産カテゴリーを必ず当てられる人はいない！**
- **1番にもビリにもならない資産分散を長期運用で**

5

# 第5章
# 「商品の選び方のポイント」「iDeCoにいくら掛けられる」教えてあげる！

5-1

# 投資信託選択のポイント①
# 運用コストで比較する

iDeCoの投信選択で覚えてほしいことは、商品の数の多さでなく、信託報酬の低い投信を多くラインナップしている金融機関から選ぶということです。ここでは投資対象が日本株のもの、外国株のものを例にとって、iDeCoの運用コストについて教えちゃいますね。

## 信託報酬の違いによるリターンの比較

iDeCoの運用商品の運用スタイルには、大きく分けてアクティブ型とインデックス型があります。コスト高傾向のアクティブ型は、指数(インデックス)より高いリターンを狙い、インデックス型はコスト安傾向でしたね。

実際のiDeCoの商品ラインナップの中から、一例をあげてみました。この事例の左図の日本株カテゴリーではコストの高いアクティブ型のトータル・リターンがマイナス(▼)5.14%で、コストの安いインデックス型のトータル・リターン プラス(+)2.30%を下回っています。

次に外国株カテゴリーです。この事例ではコストの高いアクティブ型の

**アクティブ型・インデックス型投資信託の運用コスト・運用リターンの一例**

| 日本株カテゴリー | | |
|---|---|---|
| 信託報酬 | コスト<br>信託報酬 | リターン<br>年率 |
| 運用A<br>アクティブ | 1.68% | ▼5.14% |
| 運用B<br>インデックス | 0.15% | +2.30% |

| 外国株カテゴリー | | |
|---|---|---|
| 信託報酬 | コスト<br>信託報酬 | リターン<br>年率 |
| 運用C<br>アクティブ | 2.00% | ▼4.98% |
| 運用D<br>インデックス | 0.10% | +14.68% |

出典：モーニング・スターホームページの 2022/05/13 データよりおカネ学作成
※リターンは 1 年間のトータル・リターンで比較
※ iDeCo の一部の投信の比較による

RIA JAPAN おカネ学作成 ©2022 おカネ学（株）

トータル・リターンが▼4.98％で、コストの安いインデックス型のトータル・リターン＋14.68％を下回っています。

## インデックス型の中でもコスト重視を

この事例では日本株カテゴリーで7.44％（▼5.14％と2.30％の差）、外国株カテゴリーで19.66％のリターンの差がありました。**高い信託報酬を払ったから、それだけリターンが高くなるとはいえない**のです（すべてのアクティブ型がインデックス型に劣る結果となるとは限りません）。



信託報酬は、ある意味勝手に毎日、預けた投資信託から「天引き」されてしまう費用なので、コストを払っている認識がないケースが多いです。**投資信託を持っているだけで、コストがかかっている**のです。

左図のコスト欄、日本株カテゴリーの差は1.68％－0.15％で1.53％、外国株カテゴリーの差は1.90％と、共に1％以上です。また「インデックス型」という名前だったら何でも安心してよいわけではありません。調べたところ、インデックス型でありながら、日本株カテゴリーで信託報酬0.88％、外国株カテゴリーで信託報酬1.05％といった商品もありました。

ここで、おカネ学的、iDeCoの投資信託選択の奥義を披露します。所長サンの長年の研究成果です。**「信託報酬等は0.40％未満」**を基準に選ぶこと！

国内株式だけでなく外国株式、新興国株式、不動産関連の外国REIT（リート）や国内REITといった、様々な投資対象（アセット・クラス）の商品で信託報酬等の水準が「0.40％未満」で選別すべきことを編み出したのです。所長が信託報酬0.40％未満の基準を電子書籍で披露したのは、2016年でした。

信託報酬基準がインデックス型0.50％以下*1の、つみたてNISAの制度開始（2018年）より前ですね。所長は以前から「低コストのインデックス運用」の優位性を発信し続けてきたのです。ぜひ参考にしてくださいね。

- **コスト安のインデックス型が成績良好の場合が多い**
- **「信託報酬等は0.40％未満」を基準にして選ぶ**

*1　金融庁の基準　①国内資産を対象とするものは信託報酬：0.5％以下（税抜）、②海外資産を対象とするものは信託報酬：0.75％以下（税抜）

5-2

# 投資信託選択のポイント②
# 中身と規模の大きさ

iDeCoの投信選びで、気をつけてほしいことがまだあります。名前のイメージとは違うコスト高の場合もありますし、規模の大きさにも注意してほしいです。

## 「DC専用」「DC年金用」より実際のコスト

iDeCoは個人型確定拠出年金のことでした。iDeCoという愛称ができる前は、「個人型DC」や「個人型401K」と呼ばれていました。DCは確定拠出や、確定拠出年金を意味します。

インデックス型投信を選ぶ時に、「DC専用」や「DC年金用」、「確定拠出年金」という名称が付いていると、何となくコストも安くて選んで大丈夫、とイメージしがちですが、必ずしもそうではありません。

DC専用やDC年金用といった名称ではなく、中身である実際の信託報酬等のコストで選んでください。

## 純資産額、投信の規模の大きさを考慮する

投資信託の規模も、ある程度以上の大きさが必要です。**投資信託の安定的運用に必要な、30億円以上の規模(純資産額)がある投信を選んだほうが無難**でしょう。なぜなら投信の中には、純資産額が10億円を下回った場合に運用を中止する手続きを定めている場合もあるからです。

商品パンフレット作成をイメージしてください。パンフレット作成時に広告の規制に違反しないかを弁護士に確認したり、デザインやイラスト、図表や文章作成を外注する費用は同じです。パンフレットを3,000枚使う場合と、10枚しか使わない場合では、1枚あたりのコスト効率はまったく違ってきますよね。

## 株式やETFでは流動性も大事

キャラクターの世話をして育てる楕円形のゲームが大ブーム、高くても買いたい人が増え、価格が高騰しました。しかし、ブームが終わると在庫は積み上がり、取引価格は大幅に下落しました。売りたくても買い手がいない状況です。「取引量が多い」状況では売り買いがしやすいですよね。売りたいのに、買い手がいないと叩き売り状態になるかもしれません。結果的に値段の変動が大きくなるかもしれません。

換金のしやすさを「**流動性**」といいます。**取引量が少ないと、売却換金時に思わぬ価格となる場合に注意**しましょう。



**流動性：売買の出来高の違い**

**取引ボリューム豊富**
取引量が多いため、買いたい値段での売り手が多い可能性

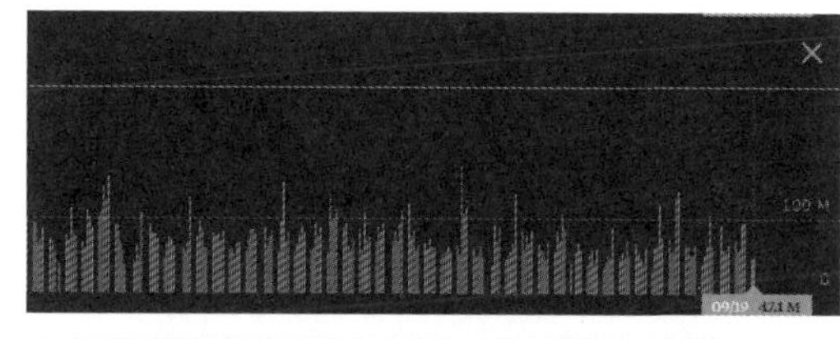


**取引ボリューム少ない**
売り手、買い手ともに少ないので、買いたい値段で売ってくれる売り手が少ない可能性
→値段の変動が大きい場合も

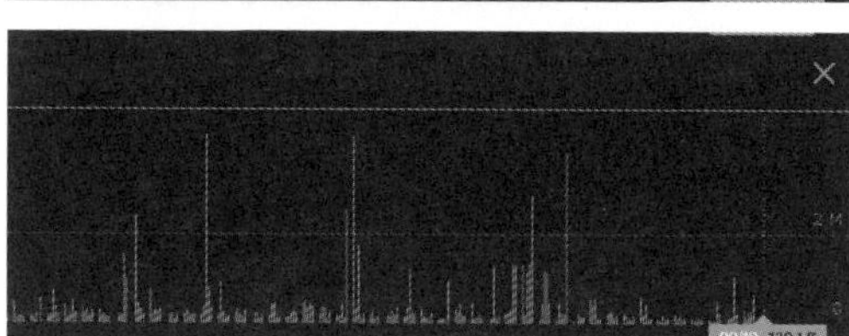


チャート出典：Bloomberg US

- **DC専用、DC年金用という名称よりもコスト判断**
- **投信の規模「純資産額」10億円以下は注意**
- **取引が少ないと価格が予想外に動く場合がある**

5-3

# 知っておこう！　資産運用コストとNISA運用にかかるコスト

資産運用をするのに、どんな費用がかかるでしょうか？株式の売買の手数料等は、30倍の開きがある場合もあります。

## 資産運用にかかる様々な手数料は?

まず一般的に資産運用にかかるコストを考えてみます。株式(ETF、REIT)等の売買手数料、投資信託の販売手数料等、外貨運用の為替(両替)手数料等です(他にも様々な商品、コストがあります)。

### 一般的な資産運用にかかるコスト(株式、ETF、REIT、投資信託)

| 様々なコスト | つみたてNISAのメリットは | NISAのメリットは | 備考 |
|---|---|---|---|
| 株式(ETF、REIT)の売買手数料 | ○ △<br>証券会社によってはNISA、つみたてNISAの売買手数料無料も | | ・ネット証券が低い傾向○<br>・ネット証券経由でもIFAなど対面は1%以上△<br>・対面証券はネット証券比30倍手数料も△<br>・外国株が割高なケースも |
| 投資信託の販売手数料 | ○<br>(かからない) | ○ ×<br>(商品、金融機関による) | ・株式、ETF（販売手数料ゼロ)○<br>・ノーロード(販売手数料ゼロ)○<br>・NISA枠でつみたてNISAの商品選択なら○<br>・販売手数料の高い商品をNISAで選ぶと× |
| 運用管理費用信託報酬等 | ○<br>(コスト安が多い) | ◎ ○ ×<br>(商品、金融機関による) | ・株式は保有コストゼロ◎<br>・ETFやインデックスファンドで低コストなら○<br>・つみたてNISAのインデックス型コスト安は○<br>・コスト高の投信選択は×<br>・解約時にコストがかかるものも |
| 外貨両替手数料(為替手数料) | — | ○<br>低コストの金融機関選択 | ・ネット証券は0.25円程度で割安も○<br>・対面証券で新興国通貨など10%近いケースも |

※ NISA, つみたて NISA の対象商品以外を含む

RIA JAPAN　おカネ学作成　©2022　おカネ学（株）

NISA口座で株式やETF、REITを購入する時は通常、証券の売買手数料がかかります。取引する金融機関、ネットか対面かによって様々なコストの違いがあります。自分でネット環境で注文可能ならコスト安になります。

海外ETFに投資する場合では、外貨に両替する手数料＝為替手数料がかかります。ネット証券で米ドルに両替する場合であれば、0.25円程度と割安。また外国債券投資では新興国通貨の為替手数料で10%近い場合もあります。実際にかかるコストが「隠れコスト」となっていますので注意が必要です。



## 信託報酬等が高くても気づかぬ人も多い

投資信託の販売手数料はゼロ（ノーロード）から、3.3%など様々です。ノーロードでも、運用管理費用が高いと高コスト運用となってしまいます。

運用開始時には「手数料を払った」認識がありますが、信託報酬等の水準を認識している人は少数です。毎日自動的に引かれてしまっているからです。運用成果から高コストが引かれると、実際の運用資産は増えません。信託報酬が安価でも、証券保管費用等を含む「運用管理費用」が高い場合もあります。

## つみたてNISAのコスト面のメリットは？

つみたてNISAは金融庁が対象商品の基準を設けています。ノーロードで信託報酬等が低く抑えられた商品が揃えられています。つみたてNISAの対象のインデックス型、さらに低コストの商品を選べば、長期間の運用に適した商品を選ぶことができます。なお40万円超の投資が可能ならば、一般NISAの枠を使い、つみたてNISAの対象商品を買うこともできる場合があります。さらにコスト面で有利な株式やETFへの投資は、一般NISAならば可能です。

- 同じものを買うのに、ネットと対面で手数料が違う
- ネット証券がコスト安傾向（IFA管理は別）
- 信託報酬だけでない手数料を含めた水準で比較する

5-4

# 知っておこう！ iDeCo運用にかかるコスト

iDeCoの費用で「手数料無料」と宣伝している金融機関も多いですね。でも、実は無料になるのは一部だけで、すべて無料になるわけではありません。iDeCoには様々な手数料があります。その内容を教えちゃいます。

## 手数料無料はiDeCoの一部の手数料

お客様がiDeCoの口座開設をして、実際に申し込む金融機関（銀行、証券会社、保険会社等）を「運営管理機関」といいます。

特に2017年5月以後、「手数料無料」と宣伝する金融機関が増えましたが、iDeCoの手数料が完全に無料になるわけではありません。金融機関が「無料」とうたっているのは「運営管理機関」の手数料である場合が多いです。iDeCoにはその他にも、次の表にある手数料がかかります。

### iDeCo関連の手数料

| | iDeCo関連の手数料 | 手数料(円) | ポイント |
|---|---|---|---|
| | 加入時手数料(初回1回のみ) | 2,829（加入時） | 2,829円は共通の費用 |
| 1 | 国民年金基金連合会 | 105（月） | 105円は1回あたり |
| 2 | 事務委託先金融機関 | 66（月） | 毎月発生 |
| 3 | 運営管理機関(金融機関：証券、銀行、保険、ろうきんなど) | 0～（一例）5,280 | 個人で金融機関を選ぶ<br>選ぶ金融機関で金額が異なる |
| 4 | 投資信託などの信託報酬 | 例　414（年）*1<br>例　5,520（年）*2 | 0.4%未満でまず探す |
| | 給付事務手数料（受取時） | 例　440～5,280 | 年1回～毎月受け取りの例。<br>385円設定もあるが運営管理機関手数料が0円でない事例も |

＊1　年額27.6万円、0.15%の信託報酬で1年分のみ計上
＊2　年額27.6万円、2.00%の信託報酬で1年分のみ計上
※他に移換、還付などの手数料あり
※データはすべて一例。すべての金融機関を網羅したものではありません
RIA JAPAN　おカネ学作成　©2022　おカネ学（株）

## iDeCoのいろいろな手数料の内容

「ここがポイント」だけ読んで、面倒だったらこのページは読み飛ばしても問題ナシです。左ページにある表から主な手数料を解説します。

加入時の手数料は、最初の1回のみの手数料です。この部分ではどこの運営管理機関を選んでも、国民年金基金連合会の手数料2,829円は共通でかかります。運営管理機関の部分の手数料無料の金融機関が多くなりました。

1回だけでなく、掛金拠出時に毎年かかる費用に番号を付与、図では青背景としています。口座管理手数料は、年間2,052円(171円／月額：毎月払いの場合)が加入期間中、毎年かかります。これはどこの運営管理機関(金融機関)を選んでもかかる、iDeCoの共通の費用です。

1は国民年金基金連合会向けの事務手数料で1回あたり105円です。

2は事務委託先金融機関向けの事務手数料で毎月66円が発生します。

3の「運営管理機関」に関する費用が、「手数料無料」の対象になっている費用で、この部分は金融機関により0円から年額5,000円以上等バラバラです。

4の信託報酬については、実質的にiDeCoで投信を活用した投資家が負担します。元本確保型を選んだ場合はかかりません。これまで述べてきたように、投信のコストが実はiDeCo全体のコストで比率が大きいので注意が必要です。

振込手数料は、年に何回か受け取る「年金形式」で受け取る人の場合は、結構重要かもしれません。仮に振込手数料が1回440円かかる場合で、毎月受け取る方法[*1]を選んだ場合、その手数料は年間にすると5,280円にもなってしまいます。受け取り方法には工夫が必要ですね。ちなみに一括(一時金)で受け取る人には、1回だけ440円だけの場合等、ほとんど影響はありません。

- **「手数料無料」は「運営管理機関」に関する手数料**
- **実際には加入時、毎年それぞれかかる費用がある**
- **運用成果に最も大きな影響があるのは「信託報酬」の水準**

＊1　運営管理機関で、毎月受け取りを設定していない場合もある。

# 5-5 iDeCo月々5,000円～掛金上限まで毎月積み立て

iDeCoで年間81万6,000円も掛けられて、しかも税金が下がったら嬉しいですよね。ただし掛金の金額には上限があって、自分が当てはまる加入区分で変わってきます。

## iDeCoの金額　最低5,000円から毎月積み立て

iDeCoは、**①毎月、5,000円以上の掛金(1,000円単位)を自分で選んだ金融機関を通して積み立てる、②複数月分をまとめて掛ける**、という2つの方法があります。金融機関は1か所しか選べません。どの商品にいくらずつ積み立てるのかを自分で選びます。所長サンは銀行口座から自動引き落としを利用しているみたいです。掛金を掛けることを拠出といいます。毎月決まった金額を(確定)、掛ける(拠出)年金なので、「確定拠出年金」というわけです。国民年金に未加入の人はiDeCoに加入できません。

## iDeCoに掛けられる金額上限は4パターン

iDeCoは、国民年金の被保険者の分類と会社の制度によって、拠出金額の上限が各々決まっています。年間で81万6,000円、27万6,000円、24万円、14万4,000円の4パターンです。これは年額ですから、月々でいえば6万8,000円、2万3,000円、2万円、1万2,000円ずつですね。

## まず「自営業者等」か「給与所得者等」か「主婦等」か

公的な年金制度の加入者区分は、「自営業者」と「給与所得者」と「主婦・主夫」の大きく3つに分かれます。

日本国内に居住する20歳以上60歳未満の人で、自営業者、個人事業主、フリーランス、非正規雇用で厚生年金に加入していないケース、学生等は、

「**自営業者等**」になります（**第1号被保険者**）。60歳以上で国民年金に任意加入すると、65歳未満までiDeCoに加入延長できるようになりました。

サラリーマン、会社員で勤務先が厚生年金に加入している人、公務員、旧私学共済加入の先生等は「**給与所得者等**」になります（**第2号被保険者**）。

会社の年金制度の状態で、拠出金額が変わってきます。

「給与所得者等（第2号被保険者）」と結婚している人（配偶者）で、扶養されている人は「**主婦等**」になります（**第3号被保険者**）。サラリーマンの妻の人や主夫の人はこちらですね。



## iDeCo加入対象者

| 加入区分 | 加入対象となる方 | 加入できない方 |
|---|---|---|
| 国民年金の**第1号**被保険者 | 日本国内に居住している20歳以上60歳未満の自営業者、フリーランス、学生など | 農業者年金の被保険者<br>国民年金の保険料納付を免除（一部免除を含む）されている方（ただし、障害基礎年金を受給されている方等は加入できます） |
| 国民年金の**任意加入**被保険者 | 国民年金に任意で加入した方60歳以上65歳未満で国民年金の保険料の納付期間が480月に達していない方*ほか | — |
| 国民年金の**第2号**被保険者 | 厚生年金の被保険者（サラリーマン、公務員）の方 | お勤めの企業で、企業型確定拠出年金に加入している方（2022年9月以前は企業型確定拠出年金規約で個人型同時加入を認めている場合は加入できます） |
| 国民年金の**第3号**被保険者 | 20歳以上60歳未満の厚生年金に加入している方の被扶養配偶者の方 | — |

＊ 20歳以上65歳未満の海外居住者で、国民年金の保険料の納付期間が480月に達していない方

出典：iDeCo公式サイト内容をRIA JAPAN編集
RIA JAPAN　おカネ学作成　©2022　おカネ学（株）

- **加入区分は「自営業者等」「給与所得者等」「主婦等」**
- **拠出額の上限は、加入区分や会社の制度で決まる**
- **拠出限度額は4つのパターンがある**

## 5-6 iDeCoにいくら掛けられる？節税メリット額は？

ここからは、代表的な7つのカテゴリーごとに、iDeCoにいくら掛けられるのか、iDeCo加入で税金がいくらトクするのかを教えちゃいます。メリット表に注目です。

### iDeCoの拠出限度額

公的年金では自営業者等（第1号被保険者）、サラリーマン等（第2号被保険者）、専業主婦等（第3号被保険者）という3つの分類でした。しかし、サラリーマン等第2号被保険者の場合、会社に企業年金制度があるかないか等により、iDeCoの拠出限度額がさらに4つに分類されます。

表で自分がどのタイプで、iDeCoの拠出可能額がいくらか確認してみてください。個々のタイプについては次節以後で詳しく解説します。勤務先にDB制度がある人は5-12「DB制度がある場合の拠出限度額」をご覧ください。

**iDeCo（個人型確定拠出年金）の拠出限度額**

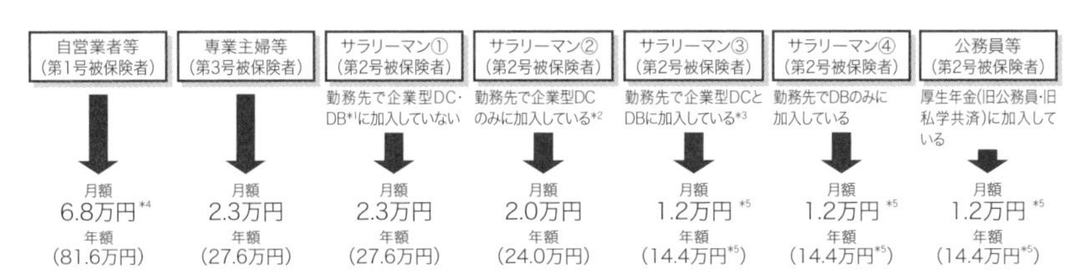


*1　DBとは確定給付企業年金、厚生年金基金を指す

*2　2022年9月以前は企業型DCの事業主掛金限度額が月額3.5万円とすることを規約で定めた場合のみiDeCoへの併用加入可能

*3　2022年9月以前は企業型DCと確定給付型年金を実施する場合は、企業型DCへの事業主掛金限度額が月額1.55万円とすることを規約で定めた場合のみiDeCoへの加入可能

*4　国民年金基金との合算枠

*5　2024年12月の改正で2号被保険者の上限は月額1.2万円年額14.4万円から月額2.0万円年額24万円に変更　DBのみはDB+iDeCoで上限月額5.5万円/月の範囲内

※企業型DCのマッチング拠出（加入者掛金拠出）がある場合はiDeCoへの併用加入不可

※企業型DC・iDeCo併用の場合、企業型DCの事業主掛金やiDeCo掛金が共に各月拠出でないとiDeCo加入不可。

※企業型DCとiDeCoを併用しない場合は、iDeCo掛金の年単位化可能。

※企業型DCを実施している場合は、企業型DC掛金額との合算管理。事業主掛金額によってiDeCoの限度額が変わる

※2022年10月改定を反映：詳細は国民年金基金連合会HP（iDeCo公式サイト）をご確認ください

RIA JAPAN おカネ学作成　©2022　おカネ学（株）

## iDeCo加入での節税メリット表（概算）

節税メリット表の縦軸は、代表的な4つの拠出限度額（年額）です。横軸は課税所得です。サラリーマン等の人は2-6で解説したように、源泉徴収票から自分の課税所得を知ることができます。給与の額（収入）から控除を引いた額が課税所得です。確定申告を行っている人、個人事業主の人は2-7で「所得」の出し方を解説しています。「課税所得額」を見てください。

自分の拠出限度額（縦軸）と課税所得（横軸）がクロスしたところにある数字が節税額（概算）となります。



### iDeCo加入時 拠出可能額別 税額メリット表（概算）

| 課税所得額 | | ～194.9万円 | 195万円～329.9万円 | 330万円～694.9万円 | 695万円～899.9万円 | 900万円～1,799.9万円 | 1,800万円～3,999.9万円 | 4,000万円～ |
|---|---|---|---|---|---|---|---|---|
| 所得税率 | | 5% | 10% | 20% | 23% | 33% | 40% | 45% |
| 住民税率 | | 10% | | | | | | |
| 合計税率 | | 15% | 20% | 30% | 33% | 43% | 50% | 55% |
| iDeCo拠出額（年額） | 81.6万円 | 122,400 | 163,200 | 244,800 | 269,280 | 350,880 | 408,000 | 448,800 |
| | 27.6万円 | 41,400 | 55,200 | 82,800 | 91,080 | 118,680 | 138,000 | 151,800 |
| | 24.0万円 | 36,000 | 48,000 | 72,000 | 79,200 | 103,200 | 120,000 | 132,000 |
| | 14.4万円 | 21,600 | 28,800 | 43,200 | 47,520 | 61,920 | 72,000 | 79,200 |

例：iDeCo掛金年間27.6万円の人は左の「27.6万円」を選び、所得500万円なら「330万円～694.9万円」と交差した「82,800」円が概算節税額、900万円～1799.9万円なら「118,680」円が概算節税額となります。iDeCoの掛金は他に様々なパターンがあります。本表はその一部です。

※復興特別所得税は考慮していません

RIA JAPAN おカネ学作成 ©2022 おカネ学（株）

・同じ勤務先でも、所得の違いでメリット額は異なる
・iDeCo拠出額と課税所得で節税メリットを理解

5-7

# iDeCoにいくら掛けられる？自営業者等の場合

**個人事業主の人は、サラリーマン等に比べて将来の年金受取額が少なく、約6万4,816円でした。iDeCoを使うと「じぶん年金」を年額81万6,000円掛けられ、税金も安くなります。**

## 自営業、フリーランス等は81万6,000円

自営業者、個人事業主、フリーランス、非正規雇用で厚生年金に加入していないケース、学生等で、日本国内に居住する20歳以上60歳未満の人は「**自営業者等**」に分類されます（**第1号被保険者**でしたね）。

iDeCoで最も上限金額を多く使うことができるのが、このカテゴリーの人たちです。なんと！　年額上限81万6,000円までの拠出（掛金を掛けること）が可能です。

## 自営業者等の公的年金は約6万4,816円

大事なことなので、繰り返し説明します。自営業者等の人は、国民年金に加入していると思います。国民年金に加入している人が老後に受け取れる年金を「老齢基礎年金」といいます。平均的な収入で40年間満額で納めた場合に受け取る金額は約6万4,816円／月です（2022年4月分）。

サラリーマン等が公的年金で2階部分の納付があるのに対し、自営業者等の人は公的年金での2階部分がありません。サラリーマン等は2階部分、上乗せの「厚生年金」の部分を、現役時代に給料から納めている場合が多いのでした。一方、自営業者等は、自力で上乗せしないと、年金が1階のみになってしまいます。安定した老後への備えのために、掛金を掛けて税金が安くなっちゃう「じぶん年金」iDeCoを活用してください！

## 住民税は後払い、納付資金の準備を忘れずに

プロスポーツ選手等が、「引退後、税金の支払いで苦労した」という話をよく聞きます。おそらく税金といっても所得税のことではなく、住民税のことでしょう。住民税は前年の所得に応じて計算される、いわば「後払い」ですから、引退して無職になり収入がなかったとしても、昨年の所得に対する住民税10％（所得割）を納付しなければいけません。年俸の高いスポーツ選手では税額が数千万円になるケースもあり、その手当に苦労することもあるようです。

サラリーマンの人も他人事ではありません。住民税は前年の所得に対して翌年の6月から翌々年の5月に納付をします。現役最終時の所得×10％（所得割）が翌年にかかってくるわけです。「退職して無収入だから税金も知れたものだ」と思っていたら大間違いです。「えっ？　会社で納付手続きしているハズじゃないの？」とビックリしてしまうケースもあるようです。

退職時期が1～5月の場合は原則として一括徴収となり、退職時期が6～12月の場合は、退職時に勤務先に申し出れば、退職時の給与から一括納付できる場合もあります。また、退職金にかかる住民税については、原則的に支払いの際に天引きされます。

住民税は「所得割」（標準税率10％　市町村税6％＋道府民税4％）と「均等割」（標準税　市町村税3500円、道府県税1500円）がほぼ全国で同じ水準になっています。

※東京都の場合、平成26年度から令和5年度までの間、地方自治体の防災対策に充てるため、個人住民税の均等割額は都民税・区市町村民税それぞれ500円が加算されています。

- 自営業者が受け取る年金は満額で月約6万4,816円
- サラリーマンの年金は上乗せ部分がある
- 自営業者はiDeCoに81万6,000円まで拠出可能！

# 5-8 iDeCoにいくら掛けられる？専業主婦の場合

2017年から主婦（夫）もiDeCoに加入できるようになりました。iDeCoの最大のメリットは、掛金が所得控除の対象になることですが、専業主婦（夫）やパート等扶養の範囲内で働いていて税金を払っていない人には、メリットはないのでしょうか？

## 専業主婦等の年間拠出限度額は27万6,000円

会社員や公務員等「給与所得者等（第2号被保険者）」に扶養されている配偶者は「**主婦等**」になります（**第3号被保険者**）。この区分の人は年額上限27万6,000円までの拠出（掛金を掛けること）が可能です。

家族の収入を支える目的でパートをしている人には、iDeCoを使うと生活費に使える額が少なくなります。60歳までおろせません。**自分自身の将来に備えるためならば、パート収入からiDeCoを検討してもよい**と思います。

iDeCoへの加入メリットは、「おろせないから貯まる」「運用中の運用益は非課税」「受け取るときも大きな控除」です。仮に30歳で30年間のパート収入を原資に、年間上限27万6,000円を積み立てれば、積立拠出金は828万円にもなります。

また60歳以降でも国民年金に任意加入できる場合には、iDeCoにも加入することができ、5年間で最大138万円の掛金の拠出が可能です。

iDeCoのメリットの運用中の運用益は非課税ということですが、これはiDeCoだけではなく、NISAやつみたてNISAでも利用できますね。

結婚前に企業型DCや個人型DCに加入していた人が、結婚して離職し専業主婦になった場合、以前は追加の拠出ができませんでした。そんな人はぜひiDeCoを使ってください。2017年から追加拠出ができるようになりました。

## パート主婦iDeCo27万6,000円は、額面103万円に加算できない

大企業勤務のパート主婦サンの質問で「iDeCoに27万6,000円の拠出ができるので、給与額面103万円＋iDeCo掛金27万6,000円＝130万6,000円

まで働いて、配偶者控除を受けられますか？　夫はサラリーマン（事業所得なし）、年収600万円程度です」との質問がありました。税理士サンの回答は「額面で103万円以下」でないとダメ、でした。**iDeCoの掛金は、額面103万円にプラスして、配偶者控除が受けられるわけではない**のです。配偶者控除の対象*1となる所得は、48万円以下（給与収入103万円－給与所得控除55万円）です。



## 夫の所得が1,000万円超ならば配偶者控除は受けられない

2017年税制改正で、2018年1月から配偶者控除を受ける人に対して所得制限が設けられました。家計を支えて配偶者控除を受ける人を夫とします。夫も妻も給与収入のみの前提で、給与額と配偶者控除の一部を解説します。

夫の額面給与増加に伴い徐々に減額、配偶者控除はゼロとなります。

所得の高い夫名義で、iDeCoやふるさと納税の活用検討がよいでしょう。

**配偶者控除の所得制限**

| | 夫の給与 1,095万円以下 所得900万円以下 | 夫の給与 1,145万円以下 所得950万円以下 | 夫の給与 1,195万円以下 所得1,000万円以下 | 夫の給与 1,195万円超 所得1,000万円超 |
|---|---|---|---|---|
| 夫の控除額 | 38万円 | 26万円 | 13万円 | 控除　ゼロ |

※配偶者の合計所得が48万円以下、老人控除配偶者でないケースを記載

RIA JAPAN おカネ学作成　©2022　おカネ学（株）

- **専業主婦等はiDeCoに年間27万6,000円拠出可能**
- **配偶者控除適用のパート主婦はiDeCo所得控除のメリットなし**
- **パート主婦のiDeCo掛金は、額面103万円に加算はできない（配偶者控除の適用時）**

ここがポイント！

＊1　別途、配偶者特別控除という制度がある。

5-9

# 会社員① 会社には独自の年金制度がない場合

会社員のiDeCo拠出限度額にはいろいろなパターンがあります。①会社に独自の年金制度がない、②企業型確定拠出年金（企業型DC）のみ加入している、③④確定給付企業年金（DB）加入です。複雑ですね。

## 会社員① 会社に独自の年金制度がない場合…27万6,000円

**会社に独自の年金制度がない人は、年額上限27万6,000円までの拠出（掛金を掛けること）が可能です。**

会社の人に「企業型DCやDB制度ありますか？　私は加入できますか？」と聞いてみてくださいね。

企業型DCとは、企業が掛金を負担する確定拠出年金です（「**マッチング拠出**」[*1]といって、個人が任意に一部負担するケースもあります）。なお、企業型DCでも、運用するのは自分（個人）です。

確定給付企業年金（DB）については、所長サン説明をお願いします！

## 確定給付年金（DB）の不足は企業が穴埋め

大企業等の年金制度が充実している会社でDB制度がある場合があります。DBはDefined（確定）Benefit（給付）pension plan（年金制度）の略です。

DBは決められた（確定）年金の金額を受け取る（給付）ことができる制度です。企業の総務・人事等のDB担当者等が運用方針を決定するのですが、低金利環境では予定額に不足が生じます。運用に失敗した場合も企業が不足した積立金を穴埋めすることが必要で、深刻な問題を引き起こしています。

年金の担当者が悪徳業者に騙された場合も過去にありました。従業員の大事な年金が大幅に減少し、社員の将来設計が狂ってしまう場合も考えられます。

---

＊1 次節（5-10）参照

大企業並みの「手厚い年金制度はない」けれど「厚生年金」制度に加入している会社（社会保険に加入している会社）に勤務している人が、ここで解説している会社員①のカテゴリーに該当します。

会社で厚生年金に加入しており、企業型DC・DB非加入の会社に勤務されている給与所得者（第2号被保険者）・サラリーマンの場合は、年間27万6,000円、月額にして2万3,000円の拠出が可能になります。

5

## iDeCo：個人型確定拠出年金の拠出限度額

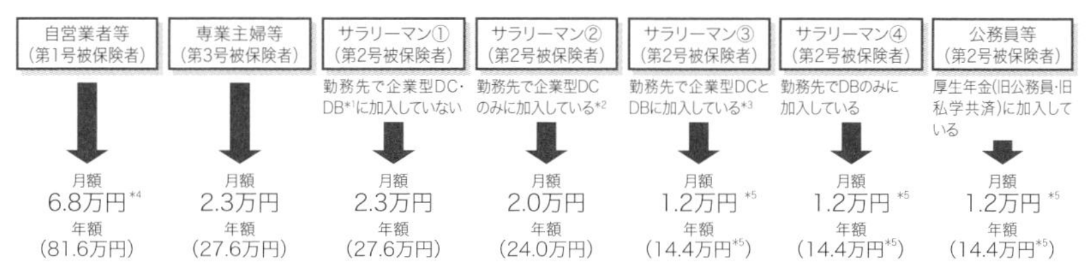


＊1　DBとは確定給付企業年金、厚生年金基金を指す
＊2　2022年9月以前は企業型DCの事業主掛金限度額が月額3.5万円とすることを規約で定めた場合のみiDeCoへの併用加入可能
＊3　2022年9月以前は企業型DCと確定給付型年金を実施する場合は、企業型DCへの事業主掛金限度額が月額1.55万円とすることを規約で定めた場合のみiDeCoへの加入可能
＊4　国民年金基金との合算枠
＊5　2024年12月の改正で2号被保険者の上限は月額1.2万円年額14.4万円から月額2.0万円年額24万円に変更　DBのみはDB+iDeCoで上限月額5.5万円/月の範囲内
※企業型DCのマッチング拠出（加入者掛金拠出）がある場合はiDeCoへの併用加入不可
※企業型DC・iDeCo併用の場合、企業型DCの事業主掛金やiDeCo掛金が共に各月拠出でないとiDeCo加入不可。
※企業型DCとiDeCoを併用しない場合は、iDeCo掛金の年単位化可能。
※企業型DCを実施している場合は、企業型DC掛金額との合算管理。事業主掛金額によってiDeCoの限度額が変わる
※2022年10月改定を反映：詳細は国民年金基金連合会HP（iDeCo公式サイト）をご確認ください



- 企業型DC・DB非加入の会社員はiDeCoに27万6,000円／年まで拠出可能
- 手厚い年金制度がなくてもiDeCoで資産形成
- 自分で選ぶので、会社担当者の運用失敗を防げる

5-10

# 会社員② 会社で企業型DCのみに加入している場合

2022年10月から、このカテゴリーの人のiDeCo加入要件が緩和されました。今の会社のDC商品ラインナップよりもよい商品を、iDeCoなら選べます。

## 会社員② 会社で企業型DCのみに加入…24万円

会社で企業型DC（企業型確定拠出年金）に加入（一定要件あり）の場合、年額上限24万円までの拠出（掛金を掛けること）が可能です。

企業型DCの制度上の上限月額は5万5,000円[*1]です。拠出ルールは、①会社（事業主）のみが負担、②会社＋加入者が負担というパターンでした。

①では2022年9月以前は会社の規約が適合していないと、企業型DC加入者はiDeCoに同時加入できませんでしたが、要件が緩和されました。

②のパターンはマッチング拠出といいます。**マッチング拠出とは、事業主の掛金の範囲内で、加入者自身が追加拠出する制度です。**ところが会社の掛金の設定が小さいと、投資したくても非課税の枠を十分に使えなかったのです。そこで2022年10月から企業型DC加入者のiDeCo同時加入[*2]の選択幅が広がりました。**加入者がマッチング拠出か、企業型DC＋iDeCoのどちらかを選べるようになりました。**

例えば会社の掛金が1万円だと、マッチング上限1万円を自分で拠出しても2万円しか投資に回りません。しかし企業型DC+iDeCoならば会社1万円＋iDeCo自分拠出2万円で、3万円まで枠を使うことができます。

逆にマッチングのほうが金額的に有利な場合もあります。会社掛金2.75万円ならば、自身のマッチング2.75万円と合計、上限の5.5万円まで非課税枠

＊1　企業型DCに加え、DB併用は上限金額2万7,500円（年額33万円）。
＊2　マッチング選択者を除く。加入者要件は5-11で紹介。

を使えます。iDeCo併用は2.75万円＋2万円で4.75万円までしか使えません。

**会社掛金が1万円だとマッチングは上限2万円、iDeCo加入なら上限3万円に!**

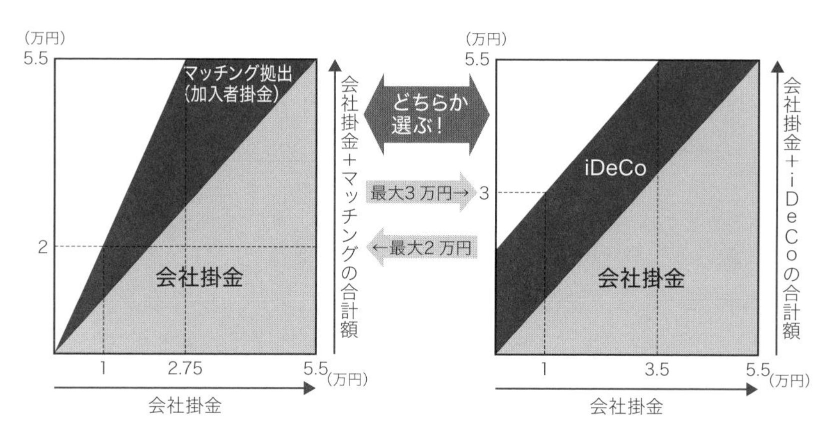


RIA JAPAN おカネ学作成 ©2022 おカネ学(株)



## 低コスト商品、企業型DCにありますか?

ただし金額だけでどちらかを選択する前に、知ってほしいことがあるのです。

それは、**低コストの商品ラインナップが十分かどうか**です。企業型DCの場合で、残念ながら高コストの商品ばかりが並んでいるケースも多くみられます。会社が商品ラインナップを決めていますから、マッチングでは高い商品を選ばざるを得ない場合もあるのです。ならばiDeCoを選択すれば、自身でコスト安の商品ラインナップの金融機関を選択することができます。会社の取引している金融機関でなくても、自分で別の金融機関を選ぶと低コスト運用が実現できるのです。

- **企業型DCのみ加入の会社員はiDeCoに24万円まで拠出可能**
- **マッチング拠出か、企業型DC＋iDeCoか選べる!**
- **合計金額だけでなく低コスト商品ラインナップを重視!**

5-11

# 企業型DC加入者のiDeCo加入要件等変更(2022年、2024年)

企業型DCに加入している人のiDeCo加入要件が緩和されました(2022年10月)。企業型DCとiDeCoを併用できる人は、合計で5.5万円にする変更があります(2024年12月)。

## 企業型DC+iDeCo加入者が大きく拡大!

企業型DC等のあるお勤め先の場合、2022年10月に加入要件が緩和されました。DB等の制度との併用は2024年12月に金額変更があります。

### 企業型DC加入者のiDeCo加入の要件緩和後(2022年10月1日施行)

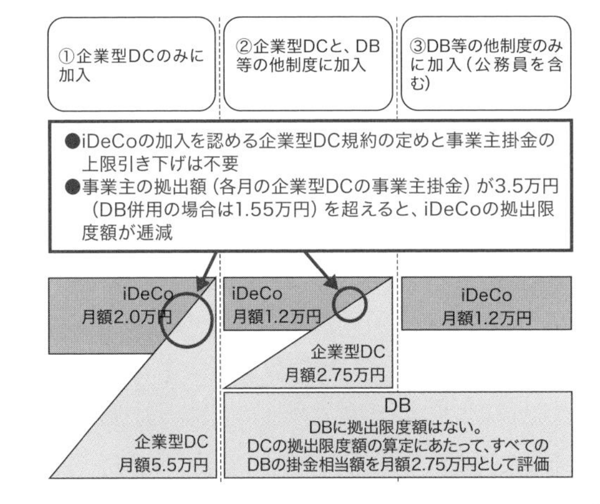


※1 月額2.0万円(DB併用の場合は1.2万円)、かつ、企業型DCの事業主掛金額との合計が月額5.5万円(DB併用の場合は2.75万円)の範囲内で、iDeCoの拠出が可能
※2 マッチング拠出を導入している企業の企業型DC加入者は、企業型DCの事業主掛金を超えず、かつ、事業主掛金額との合計が拠出限度額(月額5.5万円、DB併用の場合は2.75万円)の範囲内で、マッチング拠出かiDeCo加入かを加入者ごとに選択することが可能
※DBには、厚生年金基金・私立学校教職員共済制度・石炭鉱業年金基金を含む

出典:厚生労働省HP
(https://www.mhlw.go.jp/stf/seisakunitsuite/bunya/nenkin/nenkin/kyoshutsu/taishousha.html)

**企業型DC加入者のiDeCo加入要件**

・企業型DCの事業主掛金が月の上限(55,000円)の範囲内で各月拠出である
・iDeCoの掛金が55,000円から各月の企業型DCの事業主掛金を控除した残余の範囲内(下限5,000円、上限20,000円)で各月拠出である
・企業型DCのマッチング拠出(加入者掛金拠出)を利用していない



## DB等の他制度掛金相当額の反映後(2024年12月1日施行)

①企業型DCのみに加入
②企業型DCと、DB等の他制度に加入
③DB等の他制度のみに加入（公務員を含む）

●企業年金（企業型DC・DB）に加入する者のiDeCoの拠出限度額を公平化
●事業主の拠出額（各月の企業型DCの事業主掛金額とDB等の他制度掛金相当額）が3.5万円を超えると、iDeCoの拠出限度額が逓減

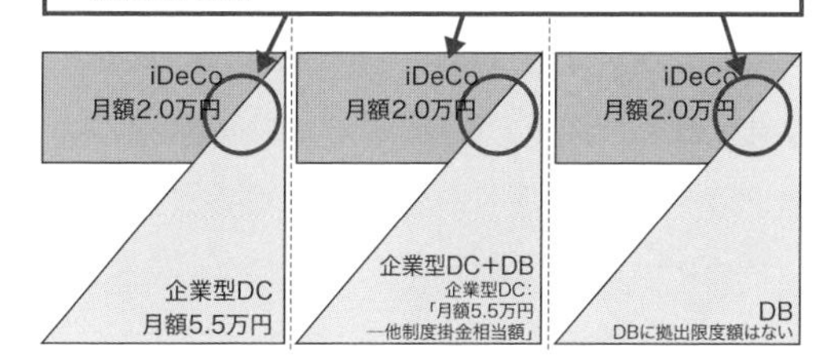


※1　企業型DCの拠出限度額は、月額5.5万円からDB等の他制度掛金相当額(仮想掛金額)を控除した額。他制度掛金相当額は、DB等の給付水準から企業型DCの事業主掛金に相当する額として算定したもので、複数の他制度に加入している場合は合計額。他制度には、DBのほか、厚生年金基金・私立学校教職員共済制度・石炭鉱業年金基金を含む

　施行(2024年12月1日)の際、現に事業主が実施する企業型DCの拠出限度額については、施行の際の企業型DC規約に基づいた従前の掛金拠出を可能とする(経過措置)。ただし、施行日以後に、確定拠出年金法第3条第3項第7号に掲げる事項を変更する規約変更を行った場合、確定給付企業年金法第4条第5号に掲げる事項を変更する規約変更を行うことによって同法第58条の規定により掛金の額を再計算した場合、DB等の他制度を実施・終了した場合等は、経過措置の適用は終了

　マッチング拠出を導入している企業の企業型DC加入者は、企業型DCの事業主掛金額を超えず、かつ、事業主掛金額との合計が拠出限度額(月額5.5万円からDB等の他制度掛金相当額を控除した額)の範囲内で、マッチング拠出が可能。マッチング拠出かiDeCo加入かを加入者ごとに選択することが可能

※2　企業年金(企業型DC、DB等の他制度)の加入者は、月額2.0万円、かつ、事業主の拠出額(各自の企業型DCの事業主掛金額とDB等の他制度掛金相当額)との合計が月額5.5万円の範囲内で、iDeCoの拠出が可能。公務員についても同様に、月額2.0万円、かつ共済掛金相当額との合計が月額5.5万円の範囲内で、iDeCoの拠出が可能

出典:厚生労働省HP
(https://www.mhlw.go.jp/stf/seisakunitsuite/bunya/nenkin/nenkin/kyoshutsu/taishousha.html)

# 5-12 会社員③④ DB制度がある会社のサラリーマンの場合

勤務先にDB制度がある人、お待たせしました。DB制度のある人も要件を満たせば、iDeCo加入可能です。しかし仕組みは複雑です。該当しない人は読み飛ばしてOKです。

## 会社員③ 企業型DC+DBに加入の場合…14万4,000円

勤務先に企業型DC(確定拠出年金)があり、さらにDB(確定給付企業年金、厚生年金基金)がある場合は、年額上限14万4,000円までの拠出(掛金を掛けること)が可能です。

**企業型DCとDB併用加入者のiDeCo加入要件**

- 企業型DCの事業主掛金が月の上限(27,500円)の範囲内で各月拠出である
- iDeCoの掛金が27,500円から各月の企業型DCの事業主掛金を控除した残余の範囲内(下限5000円、上限12,000円)で各月拠出である
- 企業型DCのマッチング拠出(5-10参照)を利用していない
- 今回の企業型DC+DBの場合は、iDeCoの拠出額の上限が1万2,000円(年額14万4,000円)となる

## 会社員④ DBのみ加入…14万4,000円

2017年からDBのみ加入者のiDeCo加入が認められるようになりました。

勤務先で企業型DC(確定拠出年金)には加入しておらず、DB(確定給付企業年金、厚生年金基金)のみに加入している場合、年額上限14万4,000円までの拠出(掛金を掛けること)が可能です。

会社員③の企業型DC+DBに加入、会社員④のDBのみ加入のカテゴリーに該当する人は、勤務先の年金制度がとても手厚い場合も想定されます。退

職金の金額が恵まれている場合では、退職所得控除の上限を超える金額の場合もあるかもしれません。その場合には、iDeCo加入で掛けた金額については、退職金受け取り時のメリット（2-8）にならない場合もあります。しかしながら、iDeCoには運用中の運用益は非課税のメリットもあるのですから、使える範囲があるならば、iDeCo活用を検討してみてください。

**DB制度がある場合の拠出限度額**

| サラリーマン（第2号被保険者） | サラリーマン（第2号被保険者） |
|---|---|
| 企業型DC＋DB*にも加入 | DB*のみ加入 |
| 企業型DCの事業主掛金が 1.55〜2.25万円（月額）〜18.6〜27万円（年額） | |
| ↓ |  |
| 月額　1.2万円* 年額　（14.4万円*） | 月額　1.2万円* 年額　（14.4万円*） |

＊企業型DCでマッチング拠出規定ありの場合はiDeCoへの併用加入不可
＊DBとは確定給付企業年金、厚生年金基金を指す
＊2022年9月以前は 企業型DCの規約でiDeCoの加入を認めている場合のみ
＊2024年12月の改正で 2号被保険者の上限は月額1.2万円年額14.4万円から月額2.0万円年額24万円に変更
＊DBのみはDB＋iDeCoで上限月額5.5万円/月の範囲内
※2022年5月現在。詳細は国民年金基金連合会HP（iDeCo公式サイト）をご確認ください

RIA JAPAN おカネ学作成　©2022　おカネ学（株）

## DB利用者のDB+DC拠出額は合計5万5,000円に変更予定

企業型DCの拠出限度額は5万5,000円ですが、DB併用者ではDBの額が5万5,000円を超えたり、DB＋DCで5万5,000円を超えるケースがあります。**2024年12月からは月額5万5,000円からDB等の他制度掛金相当額を控除した額に変更**になります。詳細は勤務先や厚生労働省Webで確認を。

- **企業型DC＋DBの加入者はiDeCoに14万4,000円まで拠出可能**
- **DBのみに加入している人はiDeCoに14万4,000円まで拠出可能**
- **様々な変更部分あり、詳細内容は勤務先等で確認を**

ここがポイント！

5-13

# 公務員等（公務員、私学共済加入の先生等）の場合

公務員の人、私学共済加入の学校関係者の人も2017年からiDeCoに加入できることになりました。お世話になった先生方！　ぜひiDeCoを使ってくださいね。

## 公務員等（公務員、私学共済加入の先生等）…14万4,000円

国家公務員の人、地方公務員の人、私学共済加入員の人＊1（一定要件あり）の場合、年額上限14万4,000円までの拠出（掛金を掛けること）が可能です。

※ 2024 年 12 月の改正で上限は月額 2.0 万円年額 24 万円に変更

### 公務員のiDeCo加入時 拠出可能額別 税額メリット表（一部抜粋）

| 課税所得額 | ～194.9万円 | 195万円～329.9万円 | 330 万 円 ～694.9万円 | 695万円～899.9万円 | 900万円～1,799.9万円 | 1,800万円～3,999.9万円 | 4,000万円～ |
|---|---|---|---|---|---|---|---|
| 所得税率 | 5% | 10% | 20% | 23% | 33% | 40% | 45% |
| 住民税率 | 10% | | | | | | |
| 合計税率 | 15% | 20% | 30% | 33% | 43% | 50% | 55% |
| iDeCo拠出額（年額）14.4万円の場合の税額メリット | 21,600 | 28,800 | 43,200 | 47,520 | 61,920 | 72,000 | 79,200 |

例：所得500 万円なら「330 万円～ 694.9万円」の欄の下にある「43,200」円が概算節税額に、所得920万円なら「900万円～ 1,799.9万円以下」の欄の下にある「61,920」円が概算節税額になります

※復興特別所得税は考慮していません

RIA JAPAN おカネ学作成 ©2022 おカネ学（株）

- 国家公務員、地方公務員はiDeCoに14万4,000円まで拠出可能
- （旧）私学共済加入員はiDeCoに14万4,000円まで拠出可能

＊1　2020年9月までは、私学共済の加入員のうちiDeCo加入を認めていない企業型確定拠出年金の加入者を除く。また、拠出限度額は1.55万円以下に引き下げが必要

6

# 第6章 おカネ学がズバリ選別！「カテゴリー別 低コスト運用」教えてあげる！

6-1

# 金融機関選びの前に用語解説と注意点のおさらい

先進国株式やREIT等の様々なカテゴリーの特徴説明の前に、投資信託選びに必要な用語解説と注意すべき点のおさらい等「おカネ学的見地」をここでは解説します。

## 運用スタイルについて〜アクティブ型とパッシブ型

国内株式、外国株式を投資対象とした商品の中でも、運用スタイルによりアクティブ(active：積極的な)型とパッシブ(passive：消極的な)型に分かれます。アクティブ型は、目標とする指標(インデックス)を上回る成績を目指すものです。パッシブ型はアクティブ型の反対で、運用スタイルとしてはインデックス型と同じです。iDeCoのサイトではインデックス型をパッシブ型という表記にしている場合もあります。パッシブ型＝インデックス型と覚えてください。

アクティブ型、インデックス型の特徴のおさらいですが、アクティブ型はコストが高めに設定されている場合が多いこと、またアクティブ型のほとんどが、目標のインデックスに成績が届いていないことをお話ししました。

おカネ学的な見解では、アクティブ型への投資よりも、**コストの安いインデックス型への投資を選択すべき**と考えます。理由は、過去によいリターンであったものが、今後も同様に高いリターンで推移するとは限らないからです。リターンは投資家サイドでは実はコントロールできない事柄なのです。

しかし、コストの高い安いはコントロールすることが可能です。ですから、コストの安いインデックス型を選択すべきなのです。

なお、アクティブ型のすべてがインデックスを下回るものではないので、アクティブ型を選択することが無駄であるとは断言しません。しかし、過去の成績がよくても、今後もインデックスを上回るとは限りません。確実にインデックスに勝つアクティブ型を選ぶ方法はないでしょう。コストを優先に考え「インデックスに届かない商品が多い」アクティブ型に投資することは、運用で低いリターンに投資する結果が多いとおカネ学では考えています。

## DC○○ファンド等の名前でなく実際の信託報酬等をチェック

DCは確定拠出年金のことでした。ただし、投信の名前にDCが入っているから安心そうだ、と思って選ぶべきではありません。「DC○○ファンド」という名称で信託報酬2.00%のものがありました。

また、「インデックス」という言葉が名称に入っているから、という理由でも安心はできません。投資対象が同じインデックス、MSCI Kokusai Indexで信託報酬0.10%のもの、1.05%のものもあるのです。計算上、毎年約0.95%のリターンの差が発生してもおかしくありません。実際のトータルリターン（1年）の違いは1.09%になっていました。

同じインデックスであれば、コストの安いほうを選んでください。iDeCoの場合は、低い信託報酬のインデックス型投信を選んでください（一般NISAの場合はETFを選ぶことができます。ETFはインデックス型投信よりもさらに信託報酬が安い場合もあるので、ETFの選択も視野に入れてください）。

**コストの違いはリターンの違いに！**

| | 投資信託A | 投資信託B | 差異 |
|---|---|---|---|
| 信託報酬 | 0.10% | 1.05% | 0.95% |
| トータルリターン（1年） | 14.85% | 13.76% | 1.09% |

RIA JAPAN おカネ学作成 ©2022 おカネ学（株）

- **パッシブ型＝インデックス型、コストの安いインデックス型を選択**
- **DCファンド、インデックスといった名前で安心せずコストで選択**
- **コストが違えばリターンも違う！**

## シャープレシオって何ですか？

### シャープレシオは数字が大きいほうが効率がよい

シャープレシオという便利な指標があります。この数字が大きいほど、「同じリスクの割にリターンが大きい」というリターンの効率性を表しています。

たとえば、同じ投資対象で、シャープレシオが1.50と2.00の2つがあれば、2.00のほうが同じリスクをとった場合に効率がよいことになります。

### シャープレシオの求め方

シャープレシオの計算式は以下になります。

［(平均リターン)－(無リスク利子率)］／（リスク：標準偏差）

無リスク利子率(または安全資産利子率、安全利子率、無危険資産利子率)は、安全な資産に投資した場合にもたらされるリターンと考えてください(現在は日本では低金利なのでイメージしにくいですね)。

リスク：標準偏差とは価格のブレ幅だと考えてください。

### シャープレシオの名前はどこから？

この指数を考案した米国の著名な経済学者、ウィリアム・シャープ(William Sharpe)氏の名前から付けられました。鋭いという意味のsharpとはつづりが異なります。

### シャープレシオが高いものに投資すべきなの？

シャープレシオが高い順に投資をすればよいかといえば、そうではありません。たとえば外国株と日本株の投信を比較して、「シャープレシオが高いからこちらが優秀」とはなりません。同じカテゴリーでの比較が必要です。投資対象が同じインデックスであれば高いほうが効率的です。

### シャープレシオがマイナスだと投資すべきでないの？

シャープレシオがマイナスになっている場合には投資をするべきでないのでしょうか？

たとえば過去1年では動乱があり、A国株式が下落基調だったとします。しかし、下落の原因が取り除かれて、今後はA国株式に目覚ましい発展が期待されるといった場合はどうでしょうか？　シャープレシオがマイナスだからといって投資をしなければ、リターンを得るチャンスを逃すかもしれません(機会損失)。

### シャープレシオは過去データで今後はわからない

シャープレシオはたとえば、過去1年のリターンとリスクを基に計算されています。たまたま過去1年が絶好調であったBというアセットクラスが、今後も好調に推移するとは限りません。一本調子に上がっていくことを前提にしないほうがよいと思います。

### シャープレシオはどこで調べればよいの？

シャープレシオは投資情報会社のサイト等で公開されている場合があります。この章ではモーニングスターのデータを紹介しています(本書はデータの正確性を保証するものではありません。またアドレスは変更になる可能性があります)。

- ●モーニングスター　iDeCoサイト　https://ideco.morningstar.co.jp/
- ●モーニングスター　つみたてNISAサイト　http://nisa.morningstar.co.jp/fund_list.html
- ●モーニングスター　海外ETF情報　https://www.morningstar.co.jp/etf_foreign/index.jsp

**まとめ**

- ・シャープレシオは数字が大きいほうが効率的
- ・同じカテゴリー、同じ期間での比較が必要
- ・シャープレシオは過去のデータ。今後も同様とは限らない
- ・マイナスはダメとは限らない

6-2

# つみたてNISAやiDeCoで選択すべきカテゴリー

では具体的に、iDeCoやNISAではどのカテゴリーに投資をしたほうがよいのか、どのカテゴリーは避けたほうが無難なのかを、ここでは簡単に解説します。詳細は、カテゴリー別に記載します。

## 選択すべき6つのアセット・クラスとは?

**「外国先進国株式」、「外国REIT」、「外国新興国株式」、「外国先進国債券」、「国内REIT」、「国内株式」の6つのアセット・クラスからの組み合わせ**を当面、考えていただきたいと思います(2022年8月)。

「元本確保型」は、資産運用というよりは資産保全となり、iDeCoやNISAでは、原則回避すべきアセット・クラスです。72の法則で示した通り(4-7参照)、資産の増加の期待がほとんど見込めません。iDeCoやNISAでは運用益が非課税ですから、期待リターンの高い商品に投資したほうがよいと考えられます。

「国内債券」は期待リターンが低く、投資コストがリターンを上回ってしまう「コスト倒れ」する懸念があるため、回避すべきアセット・クラスです。

「バランス型」「ターゲット・イヤー型」は株式や債券を組み合わせたものです。アセット・クラスに国内債券を含むものがほとんどで、国内債券部分は現在はコストは発生しても、高いリターンが見込めません。コストの高いバランス型やターゲット・イヤー型は回避すべきです。

「コモディティ」は配当を生み出さず、先物の取引コストが高くなりがちなので、原則的には長期投資に適しません。分散投資といっても無理にこの資産クラスに投資をする必要はありません。

「新興国債券」は低コストのものが限られています。商品ラインナップにない場合もあります。

6-3
# iDeCoで選択すべき投信 外国株式カテゴリー（1）先進国

iDeCoでまず投資を検討していただきたいカテゴリーが、この外国株式です。日本の株式の時価総額は、世界株式のわずか6%弱しかないのです。世界に投資してリターンを目指しましょう。

6

## 先進国株式

インデックスとしては、米国の**ニューヨーク・ダウ**や**MSCIコクサイ**といったもの等があります。MSCIコクサイは日本を除く先進国の株式なので、これ1つで先進国への国際分散投資が可能になります。ちなみに英語表記でも「MSCI-KOKUSAI」となっています。

先進国というのは、世界的に定義があるわけではありません。工業が発達し経済が発展している国々、技術や経済が発展しており生活水準が高い国々を指します。G7サミットの時代には、会議名は「先進国首脳会議」と呼ばれ、日本、米国、英国、フランス、ドイツ、イタリア、カナダがメンバーでした（注：ロシアも参加しG8となり、1998年以後サミットは「先進国」ではなく「主要国首脳会議」でしたが、ロシアのG8参加停止でG7に戻っています）。

## 検索、スマホ、ネット通販等、成長企業は日本企業以外に

調べものをする時に使う検索サイト、米国のG社が世界シェアの91%を占めていることをご存知でしょうか？　毎日何回も使っている人も多いと思います。また、スマートフォン市場では、米国のA1社が、日本市場で約67%のシェアを持っています。日本で3人に2人が、米国のA1社のスマホを利用しているのです。でも、携帯電話が市場に出回ってきたタイミングでは「やはり信頼できるのは日本製」と思って、日本のメーカーのガラケーを使っていた人も多かったのです。ネット通販の世界的大手、米国のA2社でネット注文・購入の経験はありませんか？　世界的に成長している企業は、日本の企業でない場合も多いのです。

## 日本の株式時価総額は世界株式の5 ～ 6%程度

世界の株式の時価総額のうち、日本株が占める割合は実は5 ～ 6%程度しかありません。株式に投資する部分を100%とした場合には、94 ～ 95%を「外国株式」で持つことが、世界の株式(グローバル株式)投資の正解と考えられるのです。

そして今後為替の円安(例100円が128円、詳細は9-1参照)を予想する場合、外国株式・外国債券に投資することで、円ベースの資産価格が増加します(円安になるのか、円高になるのかは、わかりませんが)。

**世界の株式の時価総額に占める、日本株は約5.4%**

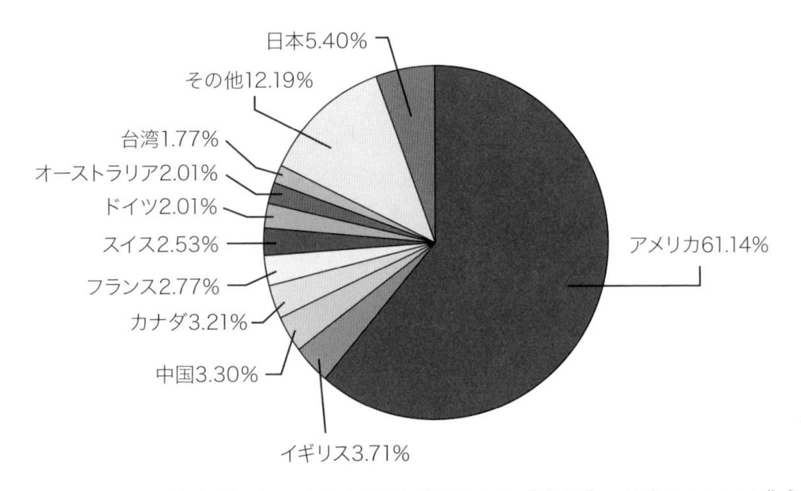


ETF：iシェアーズMSCI ACWI 2022/03/03時点のデータよりRIA JAPAN作成

- **iDeCoでは外国株式への投資を検討**
- **世界中の株式の時価総額において、日本の株式の割合は約5 ～ 6%**
  - **→株式の残り90%以上は外国株でもよい**
  - **→現在の保有資産は預貯金、不動産等日本円ベースが主流**

| カテゴリー | 商品名<br>運用会社 | 信託報酬等<br>シャープレシオ* |
|---|---|---|
| 外国株式<br>（米国） | **eMAXIS Slim米国株式（S&P500）**<br>三菱UFJ国際投信 | 0.10%<br>1.88 |
| 外国株式<br>（先進国） | **ニッセイ 外国株式インデックスファンド**<br>ニッセイアセットマネジメント | 0.10%<br>1.62 |
| 外国株式<br>（先進国） | **eMAXIS Slim先進国株式インデックス**<br>三菱UFJ国際投信 | 0.10%<br>1.62 |
| 外国株式<br>（先進国） | **たわらノーロード先進国株式**<br>アセットマネジメントOne | 0.11%<br>1.62 |
| 外国株式<br>（全世界） | **eMAXIS Slim全世界株式（除く日本）***1<br>三菱UFJ国際投信 | 0.11%<br>1.47 |
| 外国株式<br>（全世界） | **SBI・全世界株式インデックス・ファンド***1<br>SBIアセットマネジメント | 0.11%<br>1.36 |
| 外国株式<br>（先進国） | **DCニッセイ 外国株式インデックス**<br>ニッセイアセットマネジメント | 0.15%<br>1.61 |
| 外国株式<br>（全米） | **楽天・全米株式インデックス・ファンド**<br>楽天投信投資顧問 | 0.16%<br>1.58 |
| 外国株式<br>（全世界） | **楽天・全世界株式インデックス・ファンド***2<br>楽天投信投資顧問 | 0.21%<br>1.37 |
| 外国株式<br>（先進国） | **Smart-i 先進国株式インデックス**<br>りそなアセットマネジメント | 0.22%<br>1.62 |
| 外国株式<br>（米国） | **たわらノーロード NYダウ**<br>アセットマネジメントOne | 0.25%<br>1.47 |
| 外国株式<br>（米国） | **iFreeNYダウ・インデックス**<br>大和アセットマネジメント | 0.25%<br>1.47 |

金融機関ランキング上位10社の投信より銘柄抽出
＊シャープレシオ（1年）データはモーニングスター iDeCo ガイドより
＊1　MSCI　All Country World Index には新興国が12.7%含まれる（2019/3月データ）
＊2　FTSE Global All Cap Index には新興国が9.8%含まれる（2019/11月データ）
※すべての金融機関の低コスト投信を網羅せず、正確性を保証するものではありません
おカネ学 2022年5月7日調べ　

6-4

# iDeCoで選択すべき投信 外国株式カテゴリー（2）新興国

先進国は安定していますが、少しリスクを取って、日本の高度成長期のように所得が増える国々に投資をしたいと希望される人向けです。リスクは高めです。

## 新興国株式

インデックスとしては**MSCIエマージング・マーケット**（新興国市場）等です。**新興国とは先進国以外を指し、高い成長力を秘めた国々**が含まれています。国名の頭文字を取ったグループを示す言葉で、**ブリックス**（**BRICs**：ブラジル、ロシア、インド、中国）、**ビスタ**（**VISTA**：ベトナム、インドネシア、南アフリカ、トルコ、アルゼンチン）等が過去には有名になりました。

2022年、ロシアのウクライナ侵攻でロシア関連の債券や株式が取引停止という事態に陥りました。資産の大幅減少や換金できない事象が発生しました。

新興国投資で特に注意してほしい事柄が、**カントリー・リスク**です。その国の政治的・経済的なリスクを表します。一般的に新興国のほうが先進国に比べてカントリー・リスクが高い場合が多く見受けられます。ロシア株式の実質無価値を肝に銘じ、このカテゴリーへの投資配分は慎重な判断が必要です。

リスクを取った運用を避けることを「**リスク・オフ**：Risk Off」といいます。投資家が運用の規模を縮小するリスク・オフ局面では新興国株式の相場の下落が大きい傾向があるようです。新興国のリスクが先進国よりも大きいため、同じ金額の売却でも新興国セクターの売却でリスクを大きく減らすことが可能だからです。また、先進国に比べて株式市場の規模が小さいため、同じ金額の売却でも先進国市場よりも新興国市場に与える影響が大きいので、価格の変動が大きくなりがちです。

日本では1955年から1973年までの高度経済成長期には、実質経済成長率が年平均10％を超えていました。高度経済成長期の日本の成長ぶりをイメージし、今後の成長期待を新興国投資に求める投資家が存在するということです。

なお、この新興国カテゴリーでは、信託報酬等が0.40％未満の投信の銘柄数が限られてしまっています。お客様が取引される金融機関で、0.40％未満の投信ラインナップがあるほうが望ましいでしょう。リスクオフで価格が大幅に下落したタイミングでは、信託報酬等が0.40％以上であっても、0.70％未満であれば実際に投資したほうがよい局面もあるかもしれません。



## 外国株式カテゴリー（2）低コスト投信一覧表

iDeCo（個人型確定拠出年金）／信託報酬等　0.40％未満

| カテゴリー | 商品名<br>運用会社 | 信託報酬等<br>シャープレシオ* |
|---|---|---|
| 外国株式<br>（新興国） | **eMAXIS Slim新興国株式インデックス**<br>三菱UFJ国際投信 | 0.19％<br>－0.17 |
| 外国株式<br>（新興国） | **インデックスF海外新興国株式**<br>日興アセットマネジメント | 0.37％<br>－0.16 |
| 外国株式<br>（新興国） | **Smart-i 新興国株式インデックス**<br>りそなアセットマネジメント | 0.37％<br>－0.18 |
| 外国株式<br>（新興国） | **たわらノーロード新興国株式**<br>アセットマネジメントOne | 0.37％<br>－0.21 |

金融機関ランキング上位10社の投信より銘柄抽出
*シャープレシオ（1年）データはモーニングスターiDeCoガイドより
※すべての金融機関の低コスト投信を網羅せず、正確性を保証するものではありません
おカネ学2022年5月7日調べ　©2022　おカネ学（株）

- **高いリスク許容者は新興国への投資を一部検討**
- **リスク・オフで大幅下落の後に新興国投資の検討を**
- **抑えた割合で大きなリターンを期待して投資の検討も**

6-5

# iDeCoで選択すべき投信 REIT(外国・日本)カテゴリー

不動産保有の大家さんのように、定期的に賃料が入ってきたら羨ましいですよね。大きな金額で不動産を買わなくても、不動産に投資することがリートなら可能ですよ。

## REIT(リート　外国・日本)

インデックスとしては**S&P先進国REIT指数**や**J-REIT指数**です。

**定例的に収入を得る「インカム戦略」**という手法があります。債券や不動産、または配当のある株式等に投資する方法です。**REIT(リート)**とはReal Estate(＝不動産)Investment(＝投資)Trust(＝信託)の略称で、**不動産投資信託**です。REITには住宅(レジデンス)、オフィス、ショッピングモール、物流倉庫等の様々なカテゴリーがあります。現物でこれらのカテゴリーに投資するには膨大な資金が必要です。REITではビル1棟という集中投資ではなく、少額からの分散投資が可能になります。

**NISAでは直接REIT自体に投資可能**(コスト安)ですが、iDeCoではREIT関連の投信購入となります。米国や日本のREITでは収益の90%超を分配金に回さなくてはならない法律があるため、配当金等での資産形成に適しています。

つみたてNISAでは分配型投信が除外されました。運用益以上の見せかけの分配金を増やす行動に問題があったためで、インカム戦略自体が長期の資産形成に問題があるわけではないとおカネ学では考えています。

REITでは、借入金(レバレッジ)を利用することで、リターンを上げる手法が一般的にとられています。世界的な金利の上昇局面では、REITの支払い利息の増加が見込まれるため、価格下落への注意が必要です。

東京ビジネス地区のオフィスの稼働率は93.61% (2022年6月)となっており、COVID-19以後オフィスカテゴリーでは稼働率の低下が発生しました。

## REIT（外国・日本）カテゴリー 低コスト投信一覧表

iDeCo（個人型確定拠出年金）／信託報酬等　0.40%未満

| カテゴリー | 商品名<br>運用会社 | 信託報酬等<br>シャープレシオ* |
|---|---|---|
| 外国REIT | **Smart-i 先進国リートインデックス**<br>りそなアセットマネジメント | 0.22%<br>2.00 |
| 外国REIT | **三井住友・DC外国リートインデックスファンド**<br>三井住友DSアセットマネジメント | 0.30%<br>2.02 |
| 外国REIT | **たわらノーロード先進国リート**<br>アセットマネジメントOne | 0.30%<br>2.00 |
| 外国REIT | **DCダイワ・グローバルREITインデックス**<br>大和アセットマネジメント | 0.34%<br>1.99 |
| 日本REIT | **Smart-i Jリートインデックス**<br>りそなアセットマネジメント | 0.19%<br>0.23 |
| 日本REIT | **三井住友・DC日本リートインデックスファンド**<br>三井住友DSアセットマネジメント | 0.28%<br>0.24 |
| 日本REIT | **たわらノーロード国内リート**<br>アセットマネジメントOne | 0.28%<br>0.23 |
| 日本REIT | **DCニッセイJ-REITインデックスファンドA**<br>ニッセイアセットマネジメント | 0.28%<br>0.22 |
| 日本REIT | **DCニッセイJ-REITインデックスファンドB**<br>ニッセイアセットマネジメント | 0.28%<br>0.22 |
| 日本REIT | **ニッセイJリートインデックスファンド**<br>ニッセイアセットマネジメント | 0.28%<br>— |

金融機関ランキング上位10社の投信より銘柄抽出
＊シャープレシオ（1年）データはモーニングスターiDeCoガイドより
※すべての金融機関の低コスト投信を網羅せず、正確性を保証するものではありません
おカネ学2022年5月7日調べ　©2022　おカネ学（株）

- **定期的に収入を得るインカム戦略**
  - **→REITの長期保有で定期的な資産積み上げできる！**
  - **→金利上昇時には、REIT価格下落の場合もある**
  - **→日本債券の利回りが期待できない代替でREIT検討**

6-6

# iDeCoで選択すべき投信 外国債券カテゴリー

**為替がこれから円安を予想し外貨運用を始めたい人、外国株式以外に外国債券というカテゴリーもありますよ。株式が上昇し過ぎた時には、債券投資の選択肢があったほうがよいですね。**

## 先進国債券

インデックスとしては、**FTSE世界国債インデックス**等です。米国の債券が最も多く、約49％含まれています(2022年4月時点)。米国を含む上位9か国の先進国が占める割合は約89.4％ですが、新興国も一部は含まれます。

債券は株式に比べ安定度が高い傾向にあります。為替が円安方向に向かえば、日本円ベースでの資産が為替の影響で増えます(為替の影響を回避する「ヘッジあり＝H有」を除く)(注：為替の円安で必ず利益が出るといった予想を示すものではありません)。逆に円高では資産減少もあり得ます。

金利上昇局面になった時には、債券の価格は下落します。また従来信じられていた「株価の下落時には債券価格が上昇し、運用を下支えする」ということも、リーマン・ショックの時には当てはまりませんでした。売却できるものは何でも売るという圧力には、耐えられなかったと考えられます。債券だから安心、国債だから安心とは限りません。

## 新興国債券

インデックスとしては、**JPモルガンGBI-EMグローバル・ダイバーシファイド**等があります。

以前2019年11月時点のiDeCoのラインナップでいえば、新興国債券カテゴリーで「信託報酬等0.40％未満」は1銘柄でしたが7銘柄まで拡大しました。また、新興国は先進国と異なりカントリー・リスクが大きい背景も考えると、**リスクの割にはリターンが優れているとは言い難い**と考えます。

通貨別ではインドネシア、ブラジル、メキシコ、中国、タイ、マレーシアにそれぞれ約10%を投資しています(2022年4月時点)。流動性、市場規模の問題もあるでしょう。先進国の債券に比べ、新興国の債券は、売却したい時に買い手が見つかりづらい、**流動性のリスクが大きい**ことが考えられます。

## 外国債券カテゴリー 低コスト投信一覧表

iDeCo（個人型確定拠出年金）／信託報酬等　0.40%未満

| カテゴリー | 商品名<br>運用会社 | 信託報酬等<br>シャープレシオ* |
|---|---|---|
| 外国債券<br>(先進国) | **eMAXIS Slim先進国債券インデックス**<br>三菱UFJ国際投信 | 0.15%<br>0.43 |
| 外国債券<br>(先進国) | **DCニッセイ 外国債券インデックス**<br>ニッセイアセットマネジメント | 0.15%<br>0.43 |
| 外国債券<br>(先進国) | **Smart-i 先進国債券インデックス(H無)**<br>りそなアセットマネジメント | 0.19%<br>0.43 |
| 外国債券<br>(先進国) | **たわらノーロード先進国債券**<br>アセットマネジメントOne | 0.19%<br>0.43 |
| 外国債券<br>(新興国) | **iFree新興国債券インデックス**<br>大和アセットマネジメント | 0.24%<br>0.42 |
| 外国債券<br>(新興国) | **三菱UFJ DC新興国債券インデックスファンド**<br>三菱UFJ国際投信 | 0.37%<br>0.22 |
| 外国債券<br>(新興国) | **インデックスF海外新興国債券(1年決算型)**<br>日興アセットマネジメント | 0.37%<br>0.20 |

金融機関ランキング上位10社の投信より銘柄抽出
＊シャープレシオ（1年）データはモーニングスターiDeCoガイドより
※すべての金融機関の低コスト投信を網羅せず、正確性を保証するものではありません
おカネ学2022年5月7日調べ　©2022　おカネ学（株）

**・定期的に収入を得るインカム戦略活用・外貨投資の活用を**
**・先進国債券が新興国債券に比べてリスクが低い**

6-7

## iDeCoで選択すべき投信
# 外国株含日本株・外貨為替ヘッジ有り

大企業の安定よりも、リスクを取って中小型の株式に投資したい人、外国株式・債券には投資したいのですが、今後円高に向かうと考える人、ヘッジ有りもあります。ただしヘッジのコストには注意してください。

## 外貨投資したいが今後は円高、ならばヘッジ有りを

右ページ表中「＊1」は、先進国株式で為替ヘッジ有り(H有)、「＊2」は先進国債券でヘッジ有り(H有)です。

「＊3」は外国株(中小型株を含む)に投資する投信ですが、一部日本株を含むため別に分類しました。共にアクティブ型投信です。

為替ヘッジにはコストがかかるため、リターンを押し下げてしまうこともあります。**為替ヘッジを行う、行わないで1年で10.25%、3年で5.07%ものリターンの違いが出る**場合もあるのです。

### 為替ヘッジコストがリターンの違いに!

投資対象(インデックス)は同じ　FTSE世界国債インデックス(除く日本)

| | ヘッジ有り | ヘッジ無し | 差異 |
|---|---|---|---|
| トータル・リターン(1年) | －7.73% | 2.52% | －10.25% |
| トータル・リターン(3年) | －1.20% | 3.87% | －5.07% |

データ：モーニングスター　smart-i 先進国債券インデックス　2022/04/30 時点
RIA JAPAN　おカネ学作成　©2022　おカネ学（株）

為替相場が今後円高方向になると強い予想を持つ人は、為替ヘッジコスト考慮の上、H有にシフトすると為替差損を抑えられる場合があります。ただし、為替の方向性をピタリと当てることは誰にもできないでしょう。通常であれば為替ヘッジコストがかからないH無を用いて運用するほうが、長期運

用には向いていいます。「為替のリスクを避けたい」と、H有を選びたい気持ちはわかりますが、コストがどれだけかかっているかを理解した上で、H有を選択するかどうかを考えてほしいと思います。

## 外国株含日本株 外国株式・債券ヘッジ有 低コスト投信一覧表

iDeCo（個人型確定拠出年金）／信託報酬等　0.40％未満

| カテゴリー | 商品名<br>運用会社 | 信託報酬等<br>シャープレシオ* |
|---|---|---|
| 外国株式*1<br>（先進国） | **インデックスF海外株式H有(DC専用)**<br>日興アセットマネジメント | 0.18%<br>1.14 |
| 外国株式*1<br>（先進国） | **たわらノーロード 先進国株式(H有)**<br>アセットマネジメントOne | 0.22%<br>1.13 |
| 外国債券*2<br>（先進国） | **インデックスF海外債券H有(DC専用)**<br>日興アセットマネジメント | 0.18%<br>－1.32 |
| 外国債券*2<br>（先進国） | **Smart-i 先進国債券インデックス(H有)**<br>りそなアセットマネジメント | 0.19%<br>－1.33 |
| 外国債券*2<br>（先進国） | **たわらノーロード 先進国債券(H有)**<br>アセットマネジメントOne | 0.22%<br>－1.35 |
| 外国株式*3<br>（含　日本株） | **EXE-i グローバル中小型株式ファンド**＊A<br>SBIアセットマネジメント | 0.33%<br>0.79 |
| 外国株式*3<br>（含　日本株） | **農中＜パートナーズ＞おおぶねG（長期厳選）**＊A<br>農林中金バリューインベストメンツ | 0.33%<br>0.62 |

金融機関ランキング上位10社の投信より銘柄抽出
＊1＊2　為替ヘッジ付き。ヘッジなし（為替オープン）とは異なる動き
＊3　中小型株、一部日本株を含む　＊Aはアクティブ型銘柄
＊シャープレシオ（1年）データはモーニングスターiDeCoガイドより
先進国債券でH有、H無で同一のシャープレシオのデータであったが、通常は異なる
※すべての金融機関の低コスト投信を網羅せず、正確性を保証するものではありません
おカネ学2022年5月7日調べ　©2022　おカネ学（株）

- **ヘッジ有りにはヘッジコストがあり、コスト分リターンが低下**
- **為替ヘッジ有りならば円高に進んでも為替差損は限定的**
- **ヘッジ有りではドル高になった時には思い描いたリターンとならない**

6-8

# iDeCoで選択すべき投信 日本株カテゴリー

このアセット・クラスにはさすがに選択肢が多いです。外国の株式、債券、リートへの投資では為替のリスクが高い、日本の株式への投資がよいと考えている人にはこのカテゴリーですね。

## 国内株式の代表的な指数

世界の投資家が日本株の運用に通常用いていたインデックスは「**TOPIX：トピックス：東証株価指数**」ですが、「**日経225：日経平均株価**」のほうがお馴染みでしょう。ここは所長から、少々専門的な解説をしますね。

日本株式の低コスト投信一覧表では、日経平均株価、TOPIX*1、「ROE：自己資本利益率」等が優れたJPX400という指数が代表的です。

## 新TOPIXはどう変わる?　東証市場再編はなぜ起きた

機関投資家がTOPIXのインデックス運用を約70兆円規模で行ってきた結果、東証1部上場であれば業績不振企業でも株式が買われるという問題がありました。構造改革のため新TOPIXでは、流通時価総額100億円未満の株式については比率を引き下げて除外していきます(2022年10月末～2025年1月末まで10段階)。かつて東証は1部、2部、ジャスダック、マザーズという4市場でした。2022年4月4日からプライム、スタンダード、グロースの3市場に再編されました。新TOPIXは海外投資家の売買の対象となる「グローバル企業」向けのプライム市場企業が対象です。移行期間中は旧TOPIX銘柄を含むため日経平均株価への投資がよいとの考えもあります。一方、日経平均株価では、株価の絶対値が高い企業のインパクトが大きいという弊害も指摘されています。

---

*1　TOPIXは東京証券取引所第1部(東証1部)上場企業の指数(2022年3月時2,176社)

## 日本株式カテゴリー 低コスト投信一覧表

iDeCo（個人型確定拠出年金）／信託報酬等　0.40%未満

| カテゴリー | 商品名<br>運用会社 | 信託報酬等<br>シャープレシオ* |
|---|---|---|
| 日本株式 | **eMAXIS Slim国内株式(TOPIX)**<br>三菱UFJ国際投信 | 0.15%<br>0.17 |
| 日本株式 | **One DC国内株式インデックスファンド**<br>アセットマネジメントOne | 0.15%<br>0.17 |
| 日本株式 | **年金インデックスF日本株式(TOPIX連動型)**<br>日興アセットマネジメント | 0.15%<br>0.17 |
| 日本株式 | **ニッセイ 日経平均インデックスファンド**<br>ニッセイアセットマネジメント | 0.15%<br>−0.22 |
| 日本株式 | **Smart-i TOPIXインデックス**<br>りそなアセットマネジメント | 0.17%<br>0.16 |
| 日本株式 | **三井住友・DCつみたてNISA・日本株インデックスF**<br>三井住友DSアセットマネジメント | 0.18%<br>0.16 |
| 日本株式 | **DCニッセイ日経225インデックスファンドA**<br>ニッセイアセットマネジメント | 0.19%<br>−0.22 |
| 日本株式 | **たわらノーロード日経225**<br>アセットマネジメントOne | 0.19%<br>−0.22 |
| 日本株式 | **iFreeJPX日経400インデックス**<br>大和アセットマネジメント | 0.21%<br>0.16 |
| 日本株式 | **DCニッセイ日経225インデックスファンドB**<br>ニッセイアセットマネジメント | 0.21%<br>−0.23 |
| 日本株式 | **日本インデックス225DCファンド**<br>岡三アセットマネジメント | 0.25%<br>−0.22 |

金融機関ランキング上位10社の投信と独自調査より銘柄抽出
＊シャープレシオ（1年）データはモーニングスターiDeCoガイドより
※すべての金融機関の低コスト投信を網羅せず、正確性を保証するものではありません
おカネ学2022年5月7日調べ　

**・日本株への投資の王道としてインデックス型を**
**・外貨の為替リスクを取りたくない人向き**

6-9

# iDeCoの低コスト投信
# 日本債券カテゴリー

日本債券は、「iDeCoで選択すべき」ではなく、「低コスト投信」です。今は敬遠すべきですが、iDeCoの長期間運用で、金利上昇時に活用するための表です。

## 国内債券

インデックスとしては**NOMURA-BPI総合**等です。

2022年6月現在も、このアセット・クラスへの投資は慎重になるべきだとおカネ学では考えます。理由は以下です。

**①日本の長期金利がゼロ金利政策を取っている現状、リターンの見込みが極めて低く、信託報酬コストを吸収できない場合がある。**

**②将来的に日本が金利上昇局面となった時には、金利が上がると債券の価格は下落すると考えられ、価格上昇が見込めない。**

大きな配当も見込めず、価格の上昇がありません。いくら信託報酬が低くてもこのアセット・クラスに投資すると負ける確率が高いという判断です。P.237の所長コラムで金融庁からの同様のメッセージも紹介しています。

繰り返しになりますが、現在「選択すべきカテゴリー」とは考えていません。しかし、長期運用の中では、現在のような低金利でなくなる局面も将来的にはあるかもしれません。そして債券の金利が高い水準に訂正された後に、分散投資のポートフォリオ効果が期待できる場合には、これらの低コストの商品から選んでいただければと思います。

なお債券というのは「借用書」と考えてください。国が出している借用書が「国債」、会社が出していれば「社債」となるわけです。会社の業績が悪かった場合に、株式の場合は配当を実施しない場合が考えられます。しかし、借り入れた利息を支払わないことは許されません。

借入利息を支払わず「ブラックリスト」行きを避けるために、株式の配当が出ない場合でも、借入利息の利払いはされることから、一般に債券は株式よりもリスクが低いと考えられます。

## 日本債券カテゴリー 低コスト投信一覧表

iDeCo（個人型確定拠出年金）／信託報酬等　0.40％未満

| カテゴリー | 商品名<br>運用会社 | 信託報酬等<br>シャープレシオ* |
|---|---|---|
| 日本債券 | **三菱UFJ 国内債券インデックスファンド（DC）**<br>三菱UFJ国際投信 | 0.13%<br>－1.16 |
| 日本債券 | **eMAXIS Slim国内債券インデックス**<br>三菱UFJ国際投信 | 0.13%<br>－1.16 |
| 日本債券 | **Smart-i 国内債券インデックス**<br>りそなアセットマネジメント | 0.13%<br>－1.17 |
| 日本債券 | **DCニッセイ 日本債券インデックス**<br>ニッセイアセットマネジメント | 0.13%<br>－1.18 |
| 日本債券 | **たわらノーロード国内債券**<br>アセットマネジメントOne | 0.15%<br>－1.20 |

金融機関ランキング上位10社の投信と独自調査より銘柄抽出
＊シャープレシオ（1年）データはモーニングスター iDeCo ガイドより
※すべての金融機関の低コスト投信を網羅せず、正確性を保証するものではありません
※日本債券カテゴリーに投資する場合のご参考

おカネ学 2022年5月7日調べ　©2022　おカネ学（株）

・**債券は「借用書」、株式より安全性が高い**
・**金利が高い時に選択すべきで、現在の低金利下では回避を**

6-10

# 投資する前に注意が必要なバランス型等

iDeCoのその他のカテゴリーの特徴をお伝えしておきます。なぜこれらを選択しないか、または少額しか投資をするべきでないかをお客様自身でしっかり判断してほしいと思います。

## バランス型

おカネ学的見解では、**国内債券というアセット・クラスは、低金利下では運用コストが高い場合はマイナスリターンとなる**と考えます。

債券に多くを投資し、信託報酬等の運用コストが高いものであれば、運用しても結果がマイナスとなることもあるのです(外国債券のヘッジの費用が、リターンを上回る場合も時としてあるのです。6-7ヘッジコスト参照)。

たとえば、日本債券に40%、外国債券に40%を投資する、「安定的」なバランス型ファンドを選んだ場合の事例です(株式部分が20%の資産配分)。結果として、2022年4月末の運用リターンの目指す水準＝ベンチマークが－2.5%でした。この投資対象では過去1年で2.5%の損が出るものだったのです。そして、ある投信の実績は－4.3%になってしまいました。運用のコストが1.61%もかかる場合で、リターンの低い債券部分に多くを投資した結果です。

このケースでは株式への投資割合は20%でしたが、バランス型には株式投資割合の20%・40%・80%という数字がファンド名になっているものや、安定・バランス・成長重視とその間を埋めて5段階に分類したもの等も見られます。

**注意すべきパターンは、「リターンの期待できない債券」部分に多く配分されていて、「運用コストが高い」場合**です。さらに総コストにも注意が必要です。信託報酬がたとえば0.77%であっても、「運用・管理」の費用として、別途約0.84%を徴収され、トータルでは1.61%にもなってしまうのです。

信託報酬「等」にあたる部分のコストが別途約0.84%もあったのです。信託報酬の水準だけで0.77%だと思っていたら、トータルは1.61%が実態だったということがあるので、信託報酬のみでの比較には注意が必要です。

**バランス型ファンドに注意！**

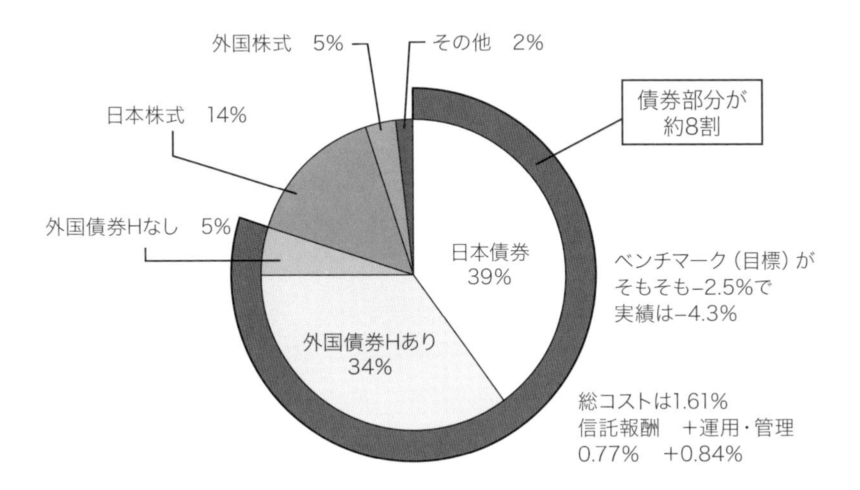


RIA JAPAN おカネ学作成　©2022　おカネ学（株）

## ターゲット・イヤー型

若いうちはリスクが高めの資産で運用し、徐々にリスクを下げていき、ターゲットとする年に、たとえば債券比率70%〜100%近く等の安定運用にリスクを軽減させるといった形式のものです。2050年ターゲットのターゲットイヤー2050、ターゲットデート2050といった年号が入った名称のものが多くみられます。ターゲット年号は2040や2030といったもの等様々です。

年齢が上がってくればリスクを下げるべきという方針は正しいのでしょう

か？　働きに出て稼ぐことは難しくなるために、運用の損失を勤労所得で埋める機会がなくなる、という点が考慮された設計なのでしょう。

しかし、リスク許容度は投資経験や全体的な資産バランス等を考えることが必要で、「70歳になったら70%債券運用」という選択が妥当でしょうか？

おカネ学では、今後金利が上昇する局面で、年々債券の割合を増加させることに妥当性があるとは、現在は考えていません。長年投資に親しんできている投資家は、後期高齢者になっても株式に投資を続けている人もいるでしょう。著名投資家、ウォーレン・バフェットは91歳、その相棒のチャーリー・マンガーは98歳（2022/05/22時点）ですが、株式投資に興味津々です。

百歩譲って、年齢が上がったらリスクを下げるという、この戦略がよいと考えてみましょう。10年間で債券の割合を以前より10%増やすのであれば、アセット・クラスの割合を自分自身で**リバランス**（配分変更。4-12参照）、**スイッチング**（7-7、7-8参照）をすればよいでしょう。その**手間を惜しんで、高い信託報酬を支払うことに経済合理性はない**と、おカネ学では考えます。コストが安い良心的なものであれば選択肢に入れてもよいでしょう。

## 元本確保型

元本確保型は定期預金、年金保険等が含まれています。所得控除のメリットだけでよいという人はここから選ぶ方法もあるでしょう。

専業主婦で納税がない場合は、所得税控除のメリットがないので、このカテゴリーを選ぶメリットはほとんどありません。

また、iDeCoにかかる様々な費用が運用益よりも高くなる場合があるため、その影響でこのカテゴリーでは元本割れする場合が多く考えられます。

運用益非課税のメリットを得るためにも、元本確保型でない商品を選択する勇気と、金融知識を身につけてほしいと思います。

## 貴金属／コモディティ（商品）

インデックスは金（きん）ならば**SPDR（スパイダー）ゴールド・シェア**、コモディティ（商品）なら**ロジャーズ国際コモディティ指数**を指標にする場合等です。

金はNISAであればETFで直接投資が可能で、iDeCoの投資信託よりもコスト安です。どうしても金に投資をしたい人はiDeCoで投信を選ばず、NISAでETFを選択すればコストが抑えられます。

商品はレバレッジや指数先物取引を利用しており、指数取引を期間ごとに都度精算します。取引コスト等が都度かかっています。

指数取引では価格の見直しの影響も大きいです。たとえば、原油価格が100でスタートし、6割下落して40になったとします。その後6割上昇しても、40の6割上昇は24で、40＋24＝64にしかなりません。下がった6割がその後6割上昇したから、100に戻っているはずとはならないのです。取引コストや価格見直しの影響、価格の変動の大きさ等が考えられるため、コモディティは長期投資には向かない資産、投資する場合も少額にすべきと考えられます。しかしながら、一時的に石油等資源価格が大幅に下落し、戻りが期待できる時等に活用する方法もあるかもしれません。

リスクが高い上、長期投資に向かないことから、このアセット・クラスもiDeCoでの投資を回避すべきと考えます。

## 分散投資しても3割の年はマイナス？長期運用がよい

分散投資は有効と言われています。1年間投資をしてマイナスになる年が約3割と聞くと驚く人もいるでしょう。

49回のうち、17回は「マイナス」運用とのデータがあります。

しかし、朗報もあります。運用期間を10年に延ばすと、40回のうち「マイナス」になったのはたった1回でした。10年単位の長期運用がよい結果につながると考えられます（ただし、コスト高の商品では、長期でもマイナスになるかもしれません）。

6-11

# おカネ学がズバリ選別！ つみたてNISAはこれを選んで！

つみたてNISAで低コスト投信の一覧表があったら便利ですよね。低コストの投信一覧表を作ってみました！

## 世界株式に投資するインデックスの特徴

世界の株式に広く分散投資をする時に、便利なインデックスがあります。MSCI、FTSE、S&P、東証や日経等はインデックス・プロバイダー（供給者）で、インデックスを作成し、使用ライセンスを得る業務を行います。

### MSCI ACWI インデックス 低コスト投信一覧表

つみたてNISA対象銘柄／信託報酬等　0.40％未満

| カテゴリー | 商品名<br>運用会社 | 指数名称 | 信託報酬等<br>シャープレシオ* |
|---|---|---|---|
| 外国株式<br>（全世界） | **eMAXIS Slim全世界株式（除く日本）**<br>三菱UFJ国際投信 | MSCI ACWI<br>Index | 0.11%<br>0.75 |
| 外国株式<br>（全世界） | **たわらノーロード　全世界株式**<br>アセットマネジメントOne | MSCI ACWI<br>Index | 0.13%<br>0.73 |
| 外国株式<br>（全世界） | **野村 つみたて外国株投信**<br>野村アセットマネジメント | MSCI ACWI<br>Index | 0.21%<br>0.75 |
| 外国株式<br>（全世界） | **つみたて全世界株式**<br>三菱UFJ国際投信 | MSCI ACWI<br>Index | 0.22%<br>0.73 |
| 外国株式<br>（全世界） | **三井住友・DCつみたてNISA・全海外株インデックスF**<br>三井住友DSアセットマネジメント | MSCI ACWI<br>Index | 0.28%<br>0.73 |

＊シャープレシオ（1年）データはモーニングスターより
※正確性を保証するものではありません

おカネ学2022年5月30日調べ　©2022　おカネ学（株）

## MSCI ACWIの低コスト投信

MSCI ACWI Index（All Country World Index）は、24の先進国（地域）と25の新興国の、大型・中型株をまとめた指数です*1。

信託報酬等コスト0.40%未満で、実際には0.30%未満が5本ありました！

## MSCI コクサイの低コスト投信

MSCI コクサイindexは、日本を除く主要先進国の株式を含む指標です。

英文名称でもKokusaiとなっていますが、配当込み、円換算ベース以外にも様々なバリエーションが存在しています。

信託報酬等コスト0.40%未満で、実際には0.22%未満が13本もありました！

野村スリーゼロ先進国株式投信は、信託報酬率が期間限定で0.00%となっています。2031/01/01から信託報酬率は0.11%となる予定です。



### MSCI コクサイ インデックス 低コスト投信一覧表

つみたてNISA対象銘柄／信託報酬等　0.40%未満

| カテゴリー | 商品名<br>運用会社 | 指数名称 | 信託報酬等<br>シャープレシオ* |
|---|---|---|---|
| 外国株式（先進国） | **野村 スリーゼロ先進国株式投信***1<br>野村アセットマネジメント | MSCI KOKUSAI指数 | 0.00%*1<br>0.90 |
| 外国株式（先進国） | **eMAXIS Slim先進国株式インデックス**<br>三菱UFJ国際投信 | MSCI KOKUSAI指数 | 0.10%<br>0.89 |
| 外国株式（先進国） | **SMBC・DCインデックスファンド（MSCIコクサイ）**<br>三井住友DSアセットマネジメント | MSCI KOKUSAI指数 | 0.10%<br>0.88 |
| 外国株式（先進国） | **ニッセイ 外国株式インデックスファンド**<br>ニッセイアセットマネジメント | MSCI KOKUSAI指数 | 0.10%<br>0.88 |
| 外国株式（先進国） | **たわらノーロード先進国株式**<br>アセットマネジメントOne | MSCI KOKUSAI指数 | 0.11%<br>0.89 |

＊1　MSCI　HP　2022/08/09アクセスデータより。

| 外国株式（先進国） | **i-SMT グローバル株式インデックス（ノーロード）**<br>三井住友トラスト・アセットマネジメント | MSCI KOKUSAI指数 | 0.21%<br>0.88 |
|---|---|---|---|
| 外国株式（先進国） | **iFree外国株式インデックス（H無）**<br>大和アセットマネジメント | MSCI KOKUSAI指数 | 0.21%<br>0.88 |
| 外国株式（先進国） | **iFree外国株式インデックス（H有）**<br>大和アセットマネジメント | MSCI KOKUSAI指数 | 0.21%<br>−0.05 |
| 外国株式（先進国） | **東京海上S・外国株式インデックス**<br>東京海上アセットマネジメント | MSCI KOKUSAI指数 | 0.22%<br>0.90 |
| 外国株式（先進国） | **Smart-i 先進国株式インデックス**<br>りそなアセットマネジメント | MSCI KOKUSAI指数 | 0.22%<br>0.88 |
| 外国株式（先進国） | **つみたて先進国株式**<br>三菱UFJ国際投信 | MSCI KOKUSAI指数 | 0.22%<br>0.88 |
| 外国株式（先進国） | **たわらノーロード 先進国株式（H有）**<br>アセットマネジメントOne | MSCI KOKUSAI指数 | 0.22%<br>−0.04 |
| 外国株式（先進国） | **つみたて先進国株式（H有）**<br>三菱UFJ国際投信 | MSCI KOKUSAI指数 | 0.22%<br>−0.05 |

＊1　期間限定で信託報酬0.00% 2031/01/01から信託報酬率は0.11%となる予定
＊シャープレシオ（1年）データはモーニングスターより
※正確性を保証するものではありません

おカネ学2022年5月30日調べ　©2022　おカネ学（株）

## 世界株ETF組み合わせ型の低コスト投信

次表はFTSE Developed All Cap IndexやFTSE Global All Cap Indexをベンチマーク（対象インデックス）にしています。しかし実際には投資信託で集めた資金を最終的にETFに投資をしています。FTSE Developed All Cap Index（先進国）では米国株式ETFと、先進国株式ETF（除く米国）の2銘柄の海外ETFの組み合わせ等でした。

全世界株式を対象とする場合に米国株式ETF、先進国ETF（除く米国）、新興国ETFの3つの海外ETFに99%投資するものや、そのものズバリ海外ETFの1銘柄のみに投資をしている投資信託もありました。

投資信託を運用するプロが、ETFを用いている実態がよくわかる実例です。

## 世界株ETF組み合わせ型 低コスト投信一覧表

つみたてNISA対象銘柄／信託報酬等　0.40%未満

| カテゴリー | 商品名<br>運用会社 | 指数名称 | 信託報酬等<br>シャープレシオ* |
|---|---|---|---|
| 外国株式（全世界） | **SBI・先進国株式インデックス・ファンド**<br>SBIアセットマネジメント | FTSE Developed All Cap Index | 0.10%<br>0.71 |
| 外国株式（全世界） | **SBI・全世界株式インデックス・ファンド**<br>SBIアセットマネジメント | FTSE Global All Cap Index | 0.11%<br>0.65 |
| 外国株式（全世界） | **SBI・V・全世界株式インデックス・ファンド**<br>SBIアセットマネジメント | FTSE Global All Cap Index | 0.13%<br>— |
| 外国株式（全世界） | **楽天・全世界株式インデックス・ファンド**<br>楽天投信投資顧問 | FTSE Global All Cap Index | 0.20%<br>0.66 |

＊シャープレシオ（1年）データはモーニングスターより
※実際には投資信託で集めた資金を最終的に海外ETFに投資
※正確性を保証するものではありません

おカネ学 2022 年 5 月 30 日調べ　©2022　おカネ学（株）

## 米国株式型の低コスト投信

S&P500、米国株投資で世界中の投資家が利用する指数の1つがこの指数です。CRSP U.S. Total Marketは米国株式市場の約4000銘柄の指数です。

## 米国株式型の低コスト投信一覧表

つみたてNISA対象銘柄／信託報酬等　0.40%未満

| カテゴリー | 商品名<br>運用会社 | 指数名称 | 信託報酬等<br>シャープレシオ* |
|---|---|---|---|
| 外国株式（全米） | **SBI・V・S&P500インデックス・ファンド**<br>SBIアセットマネジメント | S&P500 | 0.09%<br>1.11 |
| 外国株式（全米） | **SBI・V・全米株式インデックス・ファンド**<br>SBIアセットマネジメント | CRSP U.S. Total Market Index | 0.09%<br>— |

| 外国株式（全米） | **eMAXIS Slim 米国株式(S&P500)**<br>三菱UFJ国際投信 | S&P500 | 0.10%<br>1.11 |
|---|---|---|---|
| 外国株式（全米） | **SMBC・DCインデックスファンド(S＆P500)**<br>三井住友DSアセットマネジメント | S&P500 | 0.10%<br>1.09 |
| 外国株式（全米） | **楽天・全米株式インデックス・ファンド**<br>楽天投信投資顧問 | CRSP U.S. Total Market Index | 0.16%<br>0.84 |
| 外国株式（全米） | **つみたて米国株式(S&P500)**<br>三菱UFJ国際投信 | S&P500 | 0.22%<br>1.10 |
| 外国株式（全米） | **Smart-i S&P500インデックス**<br>りそなアセットマネジメント | S&P500 | 0.24%<br>1.07 |
| 外国株式（全米） | **iFreeS&P500インデックス**<br>大和アセットマネジメント | S&P500 | 0.25%<br>1.10 |
| 外国株式（全米） | **NZAM・ベータ S&P500**<br>農林中金全共連アセットマネジメント | S&P500 | 0.26%<br>1.09 |

＊シャープレシオ（1年）データはモーニングスターより
※正確性を保証するものではありません
おカネ学2022年5月30日調べ　©2022　おカネ学（株）

ここでも低コスト上位2銘柄は「中身は海外ETFに投資」していました。低コストを実現するためには、自前で行うよりも海外ETFを使ったほうがコスト安だということです。明示はされていないものでも、「米国の取引所に上場している株式等に投資を行い、S&P500インデックス(配当込み、円換算ベース)の動きに連動する投資成果を目指します」との記載があります。米国に上場している株式等の「等」に海外ETFは含まれますから、中身は海外ETF、そこに○×会社DCインデックスファンド、と名前だけを自社で付けて、インデックス投信を作っている場合も十分にあると思われます。

- **つみたてNISA対象投信で、コスト0.15%以下充実**
- **ACWIやコクサイ、先進国や世界株式等指数豊富**
- **アメリカは世界株式の比率大**
- **つみたてNISAでも中身ETFの投信が増加中**

6-12

# NISAではどんなETFを選べばよいのか

世界ではETFが運用商品で大ヒットしていると聞きました。ETFは世界では9千銘柄近くあります。なぜETFが選ばれているのかを教えてあげます。



## 世界ではETFが大ヒット商品に

世界ではアクティブ型からインデックス型へのシフトが起こっていました。4-5の図表を振り返ってみましょう。インデックス型の中でもETFに特に資金が集まっていることが見てとれます。一般の投資信託やヘッジファンドから、ETFへ乗り換えるケースが世界のトレンドなのです。

**資金流入・流失データ2021**

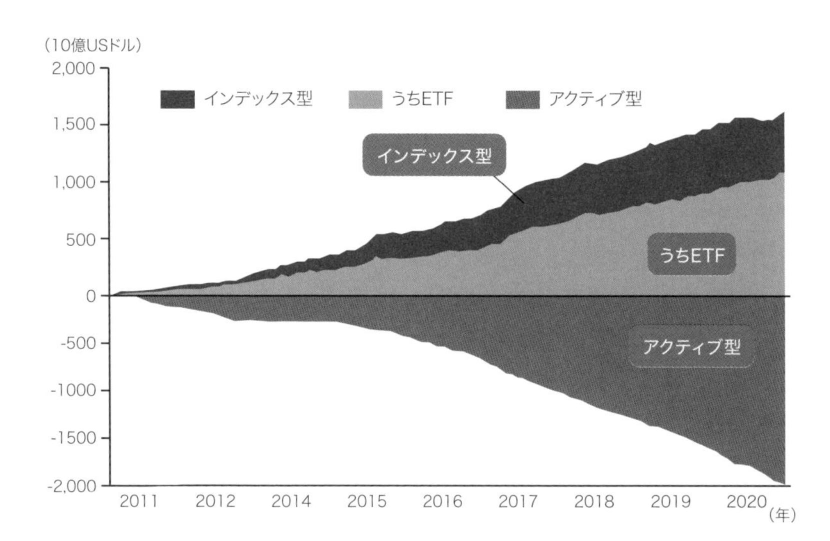


出典：Investment Company Institute「2021 Investment Company Fact Book」
翻訳：RIA JAPAN おカネ学（株）

## ETFとは? 予定価格未満なら売買成立しない

**ETFは、Exchange Traded Fund**の略です。日本では**上場投資信託**と呼ばれています。投資信託なのに上場している？　ということは、一般の投資信託は実は上場していないのです。投資信託を12,000という価格で売却したいと思っても、売却の注文を出す時点ではまだ、いくらで売れるかがわからないまま注文せざるを得ないのです。価格上昇で売却益を見込んで注文しても、注文後に市場が急落すると、**一般の投信では損して売却してしまった**ということだって起こるのです。一方、ETFの場合は、株式と同様に「指値(さしね)注文」という、例えば12,000の価格ならば売買する、という方法も取ることができます。注文後の急落では、**ETFなら予定価格未満なら売買成立しない**のです。

## ETFとは? 世界の投資家になぜ選ばれているのか?

所長サンが「ETFのメリット」を世界的権威にインタビューしました。

**①販売手数料ゼロのケタ違いに低い保有コスト**

ETFは販売手数料がゼロで、信託報酬も低い傾向があります。

**②海外ETFでも証券会社で取引できる身近な存在**

海外のETFであっても、日本にいながらにして取引ができます(証券会社の取り扱いがある前提)。ニューヨーク市場に上場しているETFを、日本で取引できるのです。

**③インデックスに連動していることによる透明性**

インデックスの値動きを見ていれば、それに連動した値動きになる、という予想できる値動きが期待できます(透明性)。

**④リアルタイムでスピーディーな流動性の高さ**

上場しているので、リアルタイムで指値が可能。売買しやすく換金性があります(流動性が高い)。

## ETFはどのくらい成長している？

ETFマニアの所長サンが研究を始める直前の2006年末のETFは728本、市場規模は約5,800億ドルでした。2021年の末では本数8,538本、市場規模は約10兆ドルと大きく成長をしました。

**ETFの残高はほぼ10兆ドルへ**

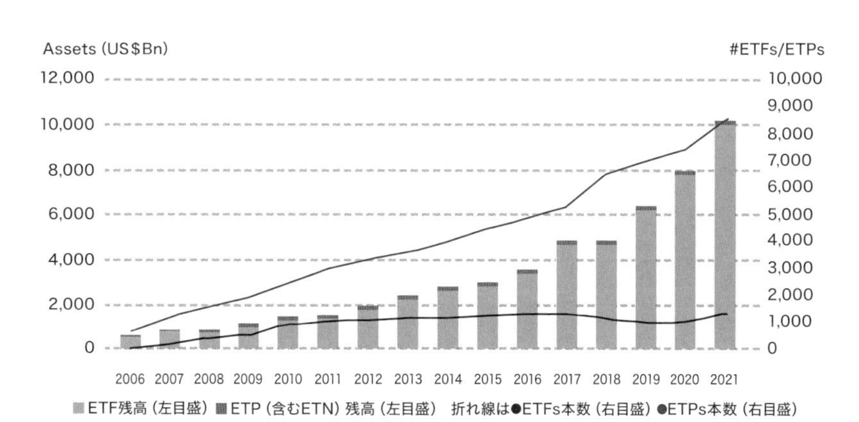


出典：ETFGI 「ETFGI reports」 2022/5/11

## ETFで何を選べばよいのか

ETF専門家の当社が伝えたい事柄は数時間に及びます。一言でまとめるならば、ETFではアメリカの「S&P500指数」に1銘柄で分散投資できるもの、「世界中の株式指数」をひとまとめにしたもの、世界の「投資適格社債」等に1銘柄で分散投資ができるETFをまず、選んでほしいと思います。

ETFではこのような伝統的なインデックスに投資するものが、低コストで提供されています。しかし、ETF＝インデックス型で低コストということではありません。従来投資信託が提供してきたテーマ型、アクティブ型のETF等も存在しているのです。

次表の上段の3銘柄はいずれもS&P500指数に投資するETFで、信託報酬等は0.03％のものが2銘柄でいずれも0.09％以下と低コストです。中段の2

銘柄は世界株式に投資するものです。投資適格という格付中心の社債は、配当目的に最適です。優先株式はリスクもあるものの、安定的な分配を得るのに適しています。

## 海外ETF 代表的銘柄一覧表

一般NISA対象銘柄／信託報酬等　0.40%未満

| カテゴリー | TICKER<br>（証券コード） | 商品名<br>運用会社 | 信託報酬等<br>シャープレシオ* |
|---|---|---|---|
| 外国株式ETF<br>（米国） | VOO | **バンガード・S&P 500 ETF**<br>ザ・バンガード・グループ・インク | 0.03%<br>0.97 |
| 外国株式ETF<br>（米国） | IVV | **ｉシェアーズ・コア S&P500ETF**<br>ブラックロック・ファンド・アドバイザーズ | 0.03%<br>0.96 |
| 外国株式ETF<br>（米国） | SPY | **SPDR S&P 500 ETF**<br>ステート・ストリート・グローバル・アドバイザーズ | 0.09%<br>0.96 |
| 外国株式ETF<br>（先進国） | VEA | **バンガード・FTSE先進国市場（除く米国）ETF**<br>ザ・バンガード・グループ・インク | 0.05%<br>0.45 |
| 外国株式ETF<br>（先進国） | EFA | **iシェアーズ MSCI EAFE ETF**<br>ブラックロック・ファンド・アドバイザーズ | 0.32%<br>0.28 |
| 外国債券ETF<br>（投資適格社債） | LQD | **iシェアーズ iBoxx米ドル建て投資適格社債ETF**<br>ブラックロック・ファンド・アドバイザーズ | 0.14%<br>0.40 |
| 優先株式ETF<br>（米国） | PFF | **iシェアーズ 米国優先株式ETF**<br>ブラックロック・ファンド・アドバイザーズ | 0.46%<br>0.51 |

＊シャープレシオ（10年）データはモーニングスターより（1年データはなし）
他のページの投資信託・国内上場ETF等のシャープレシオは1年で比較対象が異なる
※正確性を保証するものではありません

おカネ学2022年5月30日調べ　

・低コストのETFは資産運用に欠かせないツール
・ETFで海外投資も身近に。高い換金性も
・S&P500、世界株式や投資適格社債のETFをまず選ぶ

7

# 第7章 NISA、iDeCoの「金融機関の選び方」教えてあげる!

# 7-1 商品や金融機関を調べる「サイト」の注意点

実際に比較する際に、1つひとつの金融機関を調べるのは大変です。iDeCoを紹介するサイトも充実してきたので、それらを利用して調べるのもいいでしょう。でもその前に知っておいてほしいことがあります。

## 名前ではなく、どこが運営しているか、中立かをチェック!

悩ましいことですが、世の中にはイメージ的には公的機関のような名前でも、運営は私企業が行っている場合があります。私企業やNPOがすべてダメなわけではありません。しかし私企業では、**自社に有利な利益誘導**をされてしまうというリスクが高まる可能性があります。

ランキングサイトも公平かどうかが重要です。過去に飲食業の検索サイトで「やらせ」の書き込みを増やして、サイトにお金を払っている「広告を掲載している企業」が上位になるようなランキングを発表している事例がありました。

バナー広告取引がある会社を有利にランクする可能性もあります。バナー広告はクリックするたびに広告料が支払われる仕組みです。バナー広告があったらダメなサイトということにはなりませんが、注意をしてくださいね。

## iDeCoマーク、キャラクターは誰でも使える

もう1つ注意点です。公式のiDeCoのマークやキャラクター「イデコちゃん」がありますが、これは許可を得れば誰でも使用できます。

このマークがあるサイトだから安心、と考えるべきではありません。

では手続き等が充実しており、信頼性が抜群に高いサイトはどこでしょうか？　それは「**iDeCo公式サイト**」です。平成3年5月30日に厚生大臣の認可を受けて設立された、国民年金基金連合会が運営を行っています。

## 「iDeCo公式サイト」トップページ

国民年金基金連合会「iDeCo 公式サイト」https://www.ideco-koushiki.jp/ より（2022/7/25 時点）
※サイトのレイアウト、アドレス等は随時変更になる可能性があります。

・運営母体が中立・公正かどうかを判断する。
　マークは誰でも使用可
・ランキングは正しいとは限らない
・iDeCo公式サイトが最も信じられるサイト

# 7-2 つみたてNISAの対象投信の比較サイトは？

つみたてNISAを実際に利用する際にも、金融機関それぞれのサイトを比較するのは手間です。比較サイトを利用する注意点をお教えします。

## つみたてNISAサイトの使い分け

運用目的でなく制度や背景、利用者や商品数等を知りたい場合に、圧倒的に信頼できるサイトは、金融庁「NISA特設サイト」*1です。つみたてNISA*2だけを取り上げたページもあります。NISAを始める前に知りたい、投資の基礎や活用事例、動画等も充実しています。しかし、実際にどんな金融機関がどんな商品を取り扱っているのかを調べるには適していません。

## 比較サイト利用の注意点

iDeCoサイトと同様ですが、金融機関への誘導を目的としたサイトが多く見られます。実際に商品を比較できないものが多く見られますので、注意が必要です。運営者情報がきっちり開示されていないサイトや、実際にはつみたてNISAに限っては売買手数料を無料にしている証券会社もありますが、その情報がしっかり反映されていないサイトもありました。

## 実際に商品を比較でき、信頼できるサイトは？

実際に信託報酬等の水準は、金融庁の商品一覧にも記載がありませんでした。また比較サイトの多くが信託報酬等の水準は、金融機関ページに移動した後に自分で調べる必要があるケースでした。20年等長期で運用するわけ

＊1　https://www.fsa.go.jp/policy/nisa2/index.html
＊2　https://www.fsa.go.jp/policy/nisa2/about/tsumitate/index.html

ですから、「コストの安いインデックス型」が充実している金融機関がよいでしょう。また、信託報酬だけの水準で比較すると、それ以外の運用の費用があり実際の運用コストと異なる場合がありました。その他費用を含め「信託報酬等」として、しっかりと実際のコスト比較できるサイトがコレです。

「モーニングスター　つみたてNISA総合ガイド」です。参考にしてほしいところは、**つみたてNISA対象ファンド一覧のページ**[*3]です。信託報酬等の水準が安い順に表示してくれます。インデックス型の比較ページでは、指定指数名称で比較することもできます。日経平均株価やS&P500でコストの安い順に表示ができるのです。気になったファンドを5つまで指定し、詳細を比較することもできる優れモノです。また、アクティブ型、ETFごとの一覧も表示できます。



## 「モーニングスター　つみたてNISA総合ガイド」HP

「モーニングスター　つみたて NISA 総合ガイド」(http://nisa.morningstar.co.jp) より (2022/7/25 時点)
※サイトのレイアウト、アドレス等は随時変更になる可能性があります。

- **制度や計数ならば、金融庁「NISA特設サイト」**
- **実際に低コストの商品比較できるサイトが便利**
- **6-11でつみたてNISAの低コスト投信を紹介**

*3　http://nisa.morningstar.co.jp/fund_list.html

7-3

# おカネ学がズバリ選別！金融機関ランキングiDeCo編

iDeCoをサイトで比較するにも、サイトには投信の本数はあるけれど「コストの安い投信」を比較できるランキングはどこが信頼できるかわかりません。あったらよいので作りました！

## 「量より質！」コストの安いラインナップを知りたい！

残念な比較サイトでは系列会社や広告主・取引先を有利にランキングする場合があります。「手数料で比較」コーナーに記載されている手数料は、加入時の手数料や運用期間中の手数料のことで、信託報酬比較には触れていないことがほとんどです。

さて次の2つの事例ではどちらの金融機関を選びますか？

**①投信30本以上、外国株式、国内株式で信託報酬等0.40％未満の投信は0本**

**②投信12本、ただし信託報酬等0.40％未満の投信は9本で、バリエーションは、国内株式、国内債券、先進国株式、新興国株式、先進国債券、バランス型、リート（日本、海外）のすべてに信託報酬0.40％未満の投信がある**

カテゴリーは時期によって流行り、注目のされ具合が違います。低金利の現在では、不動産投資信託であるREIT（リート）に注目が集まっています。一方、国内の債券カテゴリーではほとんどリターンが取れません。

バブル時期にはBRICs（ブリックス）等外国の新興国に注目が集まりました。バブル崩壊後、世界中で株式の価格が大幅に下落しました。日本の日経平均株価は2011年9月には8,000円を割り込んだ時期すらあったのです。この時期に日経平均に投資をしたお客様は、2021年末には2万8,791円と約3.6倍になりました。

その時代に合わせた、**上昇が期待できるカテゴリーを選択できることが重要**なのです。しかも低コストだったら、素晴らしいですよね！

おカネ学では、2015年設立以来「投信の運用コスト」である信託報酬等が低い商品選択の重要性を伝え続けてきました。

インデックス運用を王道とするおカネ学的には「**信託報酬等（運用コスト）は0.40%未満から選ぶ**」、それ以上のコスト高の投信ラインナップは「本数が多くてもトクにはならない」ということなのです。

## 独立系ならではの「0.40%未満」重視ランキング

そこで、iDeCoで**日本初の「信託報酬等0.40%未満」視点**の「ズバリ！おカネ学的金融機関ランキング」を2016年12月に作りました。金融機関の投信のラインナップを独自に調査し、**信託報酬等の「0.40%未満の商品カテゴリー」「0.40%未満の本数」の充実度から判断し、ベスト10をランキング**したもので、今回は2022年5月に、おカネ学が独自に再調査した結果反映版です。

おカネ学は独立系の投資助言業ならではの、系列のしがらみがないという特長を活かして、お客様目線でこのランキングを作成しています。ぜひ参考にしてくださいね！

7

### 金融機関ベスト10ランキング集計方法

モーニングスター「個人型確定拠出年金ガイド掲載138金融機関」の掲載データを基に、以下の基準により金融機関の順位を決定。

①外国先進国株式、外国新興国株式、外国リート、外国債券、日本リートをすべて取り扱う社、一部を取り扱う社、取り扱わない社の順にランク。
②上記①が同じ構成の金融機関は、外国株式の信託報酬が低い社が上位。
③上記②が同じ構成の金融機関は、外国リートの信託報酬が低い社が上位。
④上記③が同じ構成の金融機関は、外国株式で0.15%未満の、銘柄数が多い社が上位。
⑤上記④が同じ構成の金融機関は、外国株式・外国債券で0.30%未満の、銘柄数が多い社が上位。
⑥上記⑤が同じ構成の金融機関は、外国債券の信託報酬が低い社が上位。
※すべての金融機関を網羅したものではなく、正確性を保証するものではありません。

## 金融機関　ベスト10<信託報酬等0.40%未満>by おカネ学

2022年5月版

| 順位 | 1 | 2 | 3 | 4 | 5 |
|---|---|---|---|---|---|
| 会社名 | SBI証券(S) | マネックス証券 | 松井証券 | 楽天証券 | ソニー生命保険 |
| 外国先進国株式 | 0.10% | 0.10% | 0.10% | 0.11% | 0.11% |
| 外国新興国株式 | 0.19% | 0.19% | 0.19% | 0.37% | 0.37% |
| 外国リート | 0.30% | 0.30% | 0.30% | 0.30% | 0.30% |
| 外国債券 | 0.15% | 0.15% | 0.15% | 0.19% | 0.18% |
| 日本リート | 0.28% | 0.28% | 0.28% | 0.28% | 0.28% |
| 日本株式 | 0.15% | 0.15% | 0.15% | 0.18% | 0.15% |
| 0.4%未満銘柄数1 | 16 | 11 | 7 | 11 | 9 |
| 国内債券 | 0.13% | 0.13% | 0.13% | 0.15% | 0.13% |
| (バランス型 他) | 0.15% | 0.15% | 0.15% | 0.21% | 0.15% |
| 0.4%未満銘柄数計 | 20 | 13 | 9 | 13 | 12 |

| 順位 | 6 | 6 | 6 | 9 | 10 |
|---|---|---|---|---|---|
| 会社名 | ソニー銀行 | 農林中金 | みずほ銀行 | 日本生命保険 | りそな銀行 |
| 外国先進国株式 | 0.11% | 0.11% | 0.11% | 0.15% | 0.22% |
| 外国新興国株式 | 0.37% | 0.37% | 0.37% | 0.37% | 0.37% |
| 外国リート | 0.30% | 0.30% | 0.30% | 0.34% | 0.22% |
| 外国債券 | 0.19% | 0.19% | 0.19% | 0.15% | 0.19% |
| 日本リート | 0.28% | 0.28% | 0.28% | 0.28% | 0.19% |
| 日本株式 | 0.15% | 0.15% | 0.15% | 0.21% | 0.15% |
| 0.4%未満銘柄数1 | 9 | 9 | 8 | 6 | 7 |
| 国内債券 | 0.15% | 0.15% | 0.15% | 0.13% | 0.13% |
| (バランス型　他) | | | | 0.15% | 0.18% |
| 0.4%未満銘柄数計 | 10 | 10 | 9 | 14 | 14 |

*おカネ学2022年5月7日調べ　データは2022年3月31日時点　©2022　おカネ学（株）
* 0.10%等の数字は各証券の信託報酬の最も低い水準を記載
*モーニングスター「個人型確定拠出年金ガイド掲載138金融機関（コース）」の掲載データを基に独自調査を混じえ、信託報酬等0.40%未満の商品を抽出して作成
*すべての金融機関を網羅したものではなく、正確性を保証するものではありません。

**●ベスト10の表の見方**

前ページの基準によりランキングを集計(本数が判断材料でない)。
おカネ学が現在選択すべきと判断する6つのカテゴリー、【外国先進国株式、外国新興国株式、外国リート、外国債券、日本リート、日本株式】の信託報酬等0.40%未満の投信の本数を、「0.4%未満銘柄数1」の欄に記載。
2022年5月7日取得データを独自に調査した結果に基づく。
信託報酬等は小数点以下第3位を四捨五入。

**●金融機関別　個社別表の見方**

「おカネ学的選択すべき投信」を点線の上に表示。表の上に【○本】と本数を表示。点線以下は「低コスト投信」の参考資料。表の上に、+○本と表示。

## SBI証券 セレクトプラン(1)

信託報酬等　0.40%未満の本数　【16本】+4本

| カテゴリー | 商品名<br>運用会社 | 信託報酬等<br>シャープレシオ* |
|---|---|---|
| 外国株式<br>(米国) | **eMAXIS Slim米国株式(S&P500)**<br>三菱UFJ国際投信 | 0.10%<br>1.88 |
| 外国株式<br>(先進国) | **eMAXIS Slim先進国株式インデックス**<br>三菱UFJ国際投信 | 0.10%<br>1.62 |
| 外国株式<br>(先進国) | **ニッセイ 外国株式インデックスファンド**<br>ニッセイアセットマネジメント | 0.10%<br>1.62 |
| 外国株式<br>(全世界) | **eMAXIS Slim全世界株式(除く日本)**<br>三菱UFJ国際投信 | 0.11%<br>1.47 |
| 外国株式<br>(全世界) | **SBI・全世界株式インデックス・ファンド**<br>SBIアセットマネジメント | 0.11%<br>1.36 |
| 外国株式<br>(米国) | **iFreeNYダウ・インデックス**<br>大和アセットマネジメント | 0.25%<br>1.47 |
| 外国株式*1<br>(中小型) | **EXE-i グローバル中小型株式ファンド**＊A<br>SBIアセットマネジメント | 0.33%<br>0.79 |
| 外国株式<br>(新興国) | **eMAXIS Slim新興国株式インデックス**<br>三菱UFJ国際投信 | 0.19%<br>-0.17 |
| 外国REIT | **三井住友・DC外国リートインデックスファンド**<br>三井住友DSアセットマネジメント | 0.30%<br>2.02 |
| 外国債券<br>(先進国) | **eMAXIS Slim先進国債券インデックス**<br>三菱UFJ国際投信 | 0.15%<br>0.43 |

おカネ学 2022 年 5 月 7 日調べ　©2022　おカネ学（株）

＊1 中小型株、一部日本株含む
＊A はアクティブ型銘柄
＊シャープレシオ（1 年）データはモーニングスター iDeCo ガイドより

03-5562-7560
SBI 証券　iDeCo に関するお問合せ専用ダイヤル
平日・土（年末年始を除く）8：00-17：00

## SBI証券 セレクトプラン(2)

| カテゴリー | 商品名<br>運用会社 | 信託報酬等<br>シャープレシオ* |
|---|---|---|
| 外国債券<br>(新興国) | **iFree新興国債券インデックス**<br>大和アセットマネジメント | 0.24%<br>0.42 |
| 日本REIT | **ニッセイJリートインデックスファンド**<br>ニッセイアセットマネジメント | 0.28%<br>— |
| 日本株式 | **eMAXIS Slim国内株式(TOPIX)**<br>三菱UFJ国際投信 | 0.15%<br>0.17 |
| 日本株式 | **ニッセイ日経平均インデックスファンド**<br>ニッセイアセットマネジメント | 0.15%<br>−0.22 |
| 外国株式*2<br>(先進国) | **インデックスF海外株式H有(DC専用)**<br>日興アセットマネジメント | 0.18%<br>1.14 |
| 外国債券*2<br>(先進国) | **インデックスF海外債券H有(DC専用)**<br>日興アセットマネジメント | 0.18%<br>−1.32 |
| 日本債券 | **eMAXIS Slim国内債券インデックス**<br>三菱UFJ国際投信 | 0.13%<br>−1.16 |
| バランス | **eMAXIS Slimバランス(8資産均等型)**<br>三菱UFJ国際投信 | 0.15%<br>0.96 |
| バランス | **iFree年金バランス**<br>大和アセットマネジメント | 0.17%<br>1.06 |
| バランス | **SBIグローバル・バランス・ファンド**<br>SBIアセットマネジメント | 0.28%<br>0.50 |

おカネ学 2022 年 5 月 7 日調べ　©2022　おカネ学 (株)

＊2 為替ヘッジ付。ヘッジ無し（為替オープン）とは異なる動き
＊シャープレシオ（1 年）データはモーニングスター iDeCo ガイドより

## マネックス証券

信託報酬等　0.40%未満の本数　【11本】+2本

| カテゴリー | 商品名<br>運用会社 | 信託報酬等<br>シャープレシオ* |
|---|---|---|
| 外国株式<br>(先進国) | **eMAXIS Slim先進国株式インデックス**<br>三菱UFJ国際投信 | 0.10%<br>1.62 |
| 外国株式<br>(米国) | **たわらノーロード NYダウ**<br>アセットマネジメントOne | 0.25%<br>1.47 |
| 外国株式<br>(新興国) | **eMAXIS Slim新興国株式インデックス**<br>三菱UFJ国際投信 | 0.19%<br>−0.17 |
| 外国REIT | **三井住友・DC外国リートインデックスファンド**<br>三井住友アセットマネジメント | 0.30%<br>2.02 |
| 外国債券<br>(先進国) | **eMAXIS Slim先進国債券インデックス**<br>三菱UFJ国際投信 | 0.15%<br>0.43 |
| 外国債券<br>(新興国) | **iFree新興国債券インデックス**<br>大和アセットマネジメント | 0.24%<br>0.42 |
| 日本REIT | **DCニッセイJ-REITインデックスファンドA**<br>ニッセイアセットマネジメント | 0.28%<br>0.22 |
| 日本株式 | **One DC国内株式インデックスファンド**<br>アセットマネジメントOne | 0.15%<br>0.17 |
| 日本株式 | **DCニッセイ日経225インデックスファンドA**<br>ニッセイアセットマネジメント | 0.19%<br>−0.22 |
| 日本株式 | **iFreeJPX日経400インデックス**<br>大和アセットマネジメント | 0.21%<br>0.16 |
| 外国債券*1<br>(先進国) | **たわらノーロード 先進国債券(H有)**<br>アセットマネジメントOne | 0.22%<br>−1.35 |

| | | |
|---|---|---|
| 日本債券 | **三菱UFJ 国内債券インデックスファンド(DC)**<br>三菱UFJ国際投信 | 0.13%<br>−1.16 |
| バランス | **eMAXIS Slimバランス(8資産均等型)**<br>三菱UFJ国際投信 | 0.15%<br>0.96 |

おカネ学 2022年5月7日調べ　©2022　おカネ学(株)

＊1 為替ヘッジ付。ヘッジ無し(為替オープン)とは異なる動き
＊シャープレシオ(1年)データはモーニングスターより
※銘柄は独自調査による

フリーダイヤル　0120-034-401
マネックス証券　iDeCo専用ダイヤル
平日9:00-20:00　土曜9:00-17:00

## 松井証券

信託報酬等　0.40%未満の本数　【7本】＋2本

| カテゴリー | 商品名<br>運用会社 | 信託報酬等<br>シャープレシオ* |
|---|---|---|
| 外国株式<br>（先進国） | **eMAXIS Slim先進国株式インデックス**<br>三菱UFJ国際投信 | 0.10%<br>1.62 |
| 外国株式<br>（新興国） | **eMAXIS Slim新興国株式インデックス**<br>三菱UFJ国際投信 | 0.19%<br>–0.17 |
| 外国REIT | **たわらノーロード先進国リート**<br>アセットマネジメントOne | 0.30%<br>2.00 |
| 外国債券<br>（先進国） | **eMAXIS Slim先進国債券インデックス**<br>三菱UFJ国際投信 | 0.15%<br>0.43 |
| 外国債券<br>（新興国） | **三菱UFJ DC新興国債券インデックスファンド**<br>三菱UFJ国際投信 | 0.37%<br>0.22 |
| 日本REIT | **たわらノーロード国内リート**<br>アセットマネジメントOne | 0.28%<br>0.23 |
| 日本株式 | **One DC国内株式インデックスファンド**<br>アセットマネジメントOne | 0.15%<br>0.17 |

| 日本債券 | **三菱UFJ 国内債券インデックスファンド（DC）**<br>三菱UFJ国際投信 | 0.13%<br>–1.16 |
|---|---|---|
| バランス | **eMAXIS Slimバランス（8資産均等型）**<br>三菱UFJ国際投信 | 0.15%<br>0.96 |

おカネ学2022年5月7日調べ　

＊シャープレシオ（1年）データはモーニングスターより

フリーダイヤル　0120-957-372
松井証券iDeCoサポート
平日8：30-17：00

## 楽天証券

信託報酬等　0.40％未満の本数　【11本】＋2本

| カテゴリー | 商品名<br>運用会社 | 信託報酬等<br>シャープレシオ* |
|---|---|---|
| 外国株式（先進国） | **たわらノーロード先進国株式**<br>アセットマネジメントOne | 0.11%<br>1.62 |
| 外国株式（全米） | **楽天・全米株式インデックス・ファンド**<br>楽天投信投資顧問 | 0.16%<br>1.58 |
| 外国株式（全世界） | **楽天・全世界株式インデックス・ファンド**<br>楽天投信投資顧問 | 0.21%<br>1.37 |
| 外国株式（新興国） | **インデックスF海外新興国株式**<br>日興アセットマネジメント | 0.37%<br>–0.16 |
| 外国REIT | **三井住友・DC外国リートインデックスファンド**<br>三井住友DSアセットマネジメント | 0.30%<br>2.02 |
| 外国債券（先進国） | **たわらノーロード先進国債券**<br>アセットマネジメントOne | 0.19%<br>0.43 |
| 外国債券（新興国） | **インデックスF海外新興国債券（1年決算型）**<br>日興アセットマネジメント | 0.37%<br>0.20 |
| 日本REIT | **三井住友・DC日本リートインデックスファンド**<br>三井住友DSアセットマネジメント | 0.28%<br>0.24 |
| 日本株式 | **三井住友・DCつみたてNISA・日本株インデックスF**<br>三井住友DSアセットマネジメント | 0.18%<br>0.16 |
| 日本株式 | **たわらノーロード日経225**<br>アセットマネジメントOne | 0.19%<br>–0.22 |
| 外国債券*1（先進国） | **たわらノーロード 先進国債券（H有）**<br>アセットマネジメントOne | 0.22%<br>–1.35 |
| 日本債券 | **たわらノーロード国内債券**<br>アセットマネジメントOne | 0.15%<br>–1.20 |
| バランス | **楽天・インデックス・バランス（DC年金）**<br>楽天投信投資顧問 | 0.21%<br>–0.55 |

おカネ学2022年5月7日調べ　©2022　おカネ学（株）

＊1 為替ヘッジ付。ヘッジ無し（為替オープン）とは異なる動き
＊シャープレシオ（1年）データはモーニングスターより

フリーダイヤル　0120-545-401
楽天証券　個人型確定拠出年金（iDeCo）専用ダイヤル
平日10：00-19：00　土・日9：00-17：00

## ソニー生命保険

信託報酬等　0.40%未満の本数　【9本】＋3本

| カテゴリー | 商品名<br>運用会社 | 信託報酬等<br>シャープレシオ* |
|---|---|---|
| 外国株式<br>(先進国) | **たわらノーロード先進国株式**<br>アセットマネジメントOne | 0.11%<br>1.62 |
| 外国株式<br>(新興国) | **インデックスF海外新興国株式**<br>日興アセットマネジメント | 0.37%<br>–0.16 |
| 外国REIT | **三井住友・DC外国リートインデックスファンド**<br>三井住友DSアセットマネジメント | 0.30%<br>2.02 |
| 外国債券<br>(先進国) | **たわらノーロード先進国債券**<br>アセットマネジメントOne | 0.19%<br>0.43 |
| 外国債券<br>(新興国) | **インデックスF海外新興国債券(1年決算型)**<br>日興アセットマネジメント | 0.37%<br>0.20 |
| 日本REIT | **三井住友・DC日本リートインデックスファンド**<br>三井住友DSアセットマネジメント | 0.28%<br>0.24 |
| 日本株式 | **年金インデックスF日本株式(TOPIX連動型)**<br>日興アセットマネジメント | 0.15%<br>0.17 |
| 外国株式*1<br>(先進国) | **インデックスF海外株式H有(DC専用)**<br>日興アセットマネジメント | 0.18%<br>1.14 |
| 外国債券*1<br>(先進国) | **インデックスF海外債券H有(DC専用)**<br>日興アセットマネジメント | 0.18%<br>–1.32 |

| | | |
|---|---|---|
| 日本債券 | **三菱UFJ 国内債券インデックスファンド(DC)**<br>三菱UFJ国際投信 | 0.13%<br>–1.16 |
| バランス | **DCインデックスバランス(株式60)**<br>日興アセットマネジメント | 0.15%<br>0.68 |
| バランス | **DCインデックスバランス(株式20)**<br>日興アセットマネジメント | 0.15%<br>0.36 |

おカネ学 2022年5月7日調べ　

＊1 為替ヘッジ付。ヘッジ無し（為替オープン）とは異なる動き
＊シャープレシオ（1年）データはモーニングスターより

フリーダイヤル　0120-104-283
ソニー生命カスタマーセンター
9:00-17:30（日曜日・ゴールデンウィーク・年末年始を除く）

## ソニー銀行（運営管理機関：みずほ銀行）

信託報酬等　0.40%未満の本数　【9本】＋1本

| カテゴリー | 商品名<br>運用会社 | 信託報酬等<br>シャープレシオ* |
|---|---|---|
| 外国株式<br>(先進国) | **たわらノーロード先進国株式**<br>アセットマネジメントOne | 0.11%<br>1.62 |
| 外国株式<br>(先進国) | **たわらノーロードNYダウ**<br>アセットマネジメントOne | 0.25%<br>1.47 |
| 外国株式<br>(新興国) | **たわらノーロード新興国株式**<br>アセットマネジメントOne | 0.37%<br>−0.21 |
| 外国REIT | **たわらノーロード先進国リート**<br>アセットマネジメントOne | 0.30%<br>2.00 |
| 外国債券<br>(先進国) | **たわらノーロード先進国債券**<br>アセットマネジメントOne | 0.19%<br>0.43 |
| 外国債券<br>(新興国) | **iFree新興国債券インデックス**<br>大和アセットマネジメント | 0.24%<br>0.42 |
| 日本REIT | **たわらノーロード国内リート**<br>アセットマネジメントOne | 0.28%<br>0.23 |
| 日本株式 | **One DC国内株式インデックスファンド**<br>アセットマネジメントOne | 0.15%<br>0.17 |
| 日本株式 | **たわらノーロード日経225**<br>アセットマネジメントOne | 0.19%<br>−0.22 |

| | | |
|---|---|---|
| 日本債券 | **たわらノーロード国内債券**<br>アセットマネジメントOne | 0.15%<br>−1.20 |

おカネ学 2022年5月7日調べ　©2022　おカネ学（株）

*シャープレシオ（1年）データはモーニングスターより

フリーダイヤル　0120-401-544
ソニー銀行 iDeCo コールセンター
平日 9：00-20：00　土・日 9：00-17：00（年末年始・祝日を除く）

## 農林中金（JAバンクのiDeCo<みずほプラン>）

信託報酬等　0.40％未満の本数　【9本】＋１本

| カテゴリー | 商品名<br>運用会社 | 信託報酬等<br>シャープレシオ* |
|---|---|---|
| 外国株式<br>（先進国） | **たわらノーロード先進国株式**<br>アセットマネジメントOne | 0.11%<br>1.62 |
| 外国株式*1<br>（中小型） | **農中<パートナーズ>おおぶねG（長期厳選）**＊A<br>農林中金バリューインベストメンツ | 0.33%<br>0.62 |
| 外国株式<br>（新興国） | **たわらノーロード新興国株式**<br>アセットマネジメントOne | 0.37%<br>−0.21 |
| 外国REIT | **たわらノーロード先進国リート**<br>アセットマネジメントOne | 0.30%<br>2.00 |
| 外国債券<br>（先進国） | **たわらノーロード先進国債券**<br>アセットマネジメントOne | 0.19%<br>0.43 |
| 日本REIT | **たわらノーロード国内リート**<br>アセットマネジメントOne | 0.28%<br>0.23 |
| 日本株式 | **One DC国内株式インデックスファンド**<br>アセットマネジメントOne | 0.15%<br>0.17 |
| 外国株式*2<br>（先進国） | **たわらノーロード 先進国株式（H有）**<br>アセットマネジメントOne | 0.22%<br>1.13 |
| 外国債券*2<br>（先進国） | **たわらノーロード 先進国債券（H有）**<br>アセットマネジメントOne | 0.22%<br>−1.35 |
| 日本債券 | **たわらノーロード国内債券**<br>アセットマネジメントOne | 0.15%<br>−1.20 |

おカネ学 2022年5月7日調べ　

＊1　一部日本株含む
＊A はアクティブ型銘柄
＊2　為替ヘッジ付。ヘッジ無し（為替オープン）とは異なる動き
＊シャープレシオ（1年）データはモーニングスターより

フリーダイヤル　0120-377-401
JA バンク iDeCo コールセンター
平日 9：00-20：00　土・日 9：00-17：00（年末年始・祝日を除く）

## みずほ銀行

信託報酬等　0.40%未満の本数　【8本】＋1本

| カテゴリー | 商品名<br>運用会社 | 信託報酬等<br>シャープレシオ* |
|---|---|---|
| 外国株式<br>(先進国) | **たわらノーロード先進国株式**<br>アセットマネジメントOne | 0.11%<br>1.62 |
| 外国株式<br>(新興国) | **たわらノーロード新興国株式**<br>アセットマネジメントOne | 0.37%<br>-0.21 |
| 外国REIT | **たわらノーロード先進国リート**<br>アセットマネジメントOne | 0.30%<br>2.00 |
| 外国債券<br>(先進国) | **たわらノーロード先進国債券**<br>アセットマネジメントOne | 0.19%<br>0.43 |
| 日本REIT | **たわらノーロード国内リート**<br>アセットマネジメントOne | 0.28%<br>0.23 |
| 日本株式 | **One DC国内株式インデックスファンド**<br>アセットマネジメントOne | 0.15%<br>0.17 |
| 外国株式*1<br>(先進国) | **たわらノーロード 先進国株式(H有)**<br>アセットマネジメントOne | 0.22%<br>1.13 |
| 外国債券*1<br>(先進国) | **たわらノーロード 先進国債券(H有)**<br>アセットマネジメントOne | 0.22%<br>-1.35 |

| 日本債券 | **たわらノーロード国内債券**<br>アセットマネジメントOne | 0.15%<br>-1.20 |
|---|---|---|

おカネ学2022年5月7日調べ　©2022　おカネ学（株）

＊1　為替ヘッジ付。ヘッジ無し（為替オープン）とは異なる動き
＊シャープレシオ（1年）データはモーニングスターより

フリーダイヤル　0120-867-401
みずほ銀行 確定拠出年金コールセンター
平日9：00-21：00　土・日9：00-17：00

## 日本生命保険

信託報酬等　0.40%未満の本数　【6本】＋8本

| カテゴリー | 商品名<br>運用会社 | 信託報酬等<br>シャープレシオ* |
|---|---|---|
| 外国株式<br>（先進国） | **DCニッセイ 外国株式インデックス**<br>ニッセイアセットマネジメント | 0.15%<br>1.61 |
| 外国株式<br>（新興国） | **インデックスF海外新興国株式**<br>日興アセットマネジメント | 0.37%<br>−0.16 |
| 外国REIT | **DCダイワ・グローバルREITインデックス**<br>大和アセットマネジメント | 0.34%<br>1.99 |
| 外国債券<br>（先進国） | **DCニッセイ 外国債券インデックス**<br>ニッセイアセットマネジメント | 0.15%<br>0.43 |
| 日本REIT | **DCニッセイJ-REITインデックスファンドB**<br>ニッセイアセットマネジメント | 0.28%<br>0.22 |
| 日本株式 | **DCニッセイ日経225インデックスファンドB**<br>ニッセイアセットマネジメント | 0.21%<br>−0.23 |
| 日本債券 | **DCニッセイ 日本債券インデックス**<br>ニッセイアセットマネジメント | 0.13%<br>−1.18 |
| バランス | **DCニッセイ ワールドセレクトF(株式重視)**<br>ニッセイアセットマネジメント | 0.15%<br>1.00 |
| バランス | **DCニッセイ ワールドセレクトF(標準)**<br>ニッセイアセットマネジメント | 0.15%<br>0.88 |
| バランス | **DCニッセイ ワールドセレクトF(債券重視)**<br>ニッセイアセットマネジメント | 0.15%<br>0.66 |
| バランス | **DCニッセイ ターゲットデートファンド2025**<br>ニッセイアセットマネジメント | 0.30%<br>−0.08 |
| バランス | **DCニッセイ ターゲットデートファンド2055**<br>ニッセイアセットマネジメント | 0.32%<br>1.09 |
| バランス | **DCニッセイ ターゲットデートファンド2045**<br>ニッセイアセットマネジメント | 0.32%<br>1.08 |
| バランス | **DCニッセイ ターゲットデートファンド2035**<br>ニッセイアセットマネジメント | 0.32%<br>1.07 |

おカネ学2022年5月7日調べ　©2022　おカネ学（株）

＊シャープレシオ（1年）データはモーニングスターより

フリーダイヤル　0120-218656
ニッセイ確定拠出年金コールセンター
平日9：00-20：00　土・日9：00-17：00

## りそな銀行

信託報酬等　0.40%未満の本数　【7本】＋7本

| カテゴリー | 商品名<br>運用会社 | 信託報酬等<br>シャープレシオ* |
|---|---|---|
| 外国株式<br>(先進国) | **Smart-i 先進国株式インデックス**<br>りそなアセットマネジメント | 0.22%<br>1.62 |
| 外国株式<br>(新興国) | **Smart-i 新興国株式インデックス**<br>りそなアセットマネジメント | 0.37%<br>–0.18 |
| 外国REIT | **Smart-i 先進国リートインデックス**<br>りそなアセットマネジメント | 0.22%<br>2.00 |
| 外国債券<br>(先進国) | **Smart-i 先進国債券インデックス(H無)**<br>りそなアセットマネジメント | 0.19%<br>0.43 |
| 日本REIT | **Smart-i Jリートインデックス**<br>りそなアセットマネジメント | 0.19%<br>0.23 |
| 日本株式 | **Smart-i TOPIXインデックス**<br>りそなアセットマネジメント | 0.15%<br>0.16 |
| 外国債券*1<br>(先進国) | **Smart-i 先進国債券インデックス(H有)**<br>りそなアセットマネジメント | 0.19%<br>–1.33 |

| | | |
|---|---|---|
| 日本債券 | **Smart-i 国内債券インデックス**<br>りそなアセットマネジメント | 0.13%<br>–1.17 |
| バランス | **Smart-i 8資産バランス 安定型**<br>りそなアセットマネジメント | 0.18%<br>0.75 |
| バランス | **Smart-i 8資産バランス 安定成長型**<br>りそなアセットマネジメント | 0.20%<br>1.22 |
| バランス | **Smart-i 8資産バランス 成長型**<br>りそなアセットマネジメント | 0.22%<br>1.35 |
| バランス | **りそな ターゲット・イヤー・ファンド2030**<br>りそなアセットマネジメント | 0.28%<br>0.97 |
| バランス | **りそな ターゲット・イヤー・ファンド2040**<br>りそなアセットマネジメント | 0.33%<br>1.21 |
| バランス | **りそな ターゲット・イヤー・ファンド2050**<br>りそなアセットマネジメント | 0.38%<br>1.30 |

おカネ学 2022 年 5 月 7 日調べ　©2022　おカネ学 (株)

＊1　為替ヘッジ付。ヘッジ無し（為替オープン）とは異なる動き
＊シャープレシオ（1 年）データはモーニングスターより

フリーダイヤル　0120-401-987
りそな銀行確定拠出年金コールセンター
平日 9：00-21：00　土・日 9：00-17：00

7-4

# iDeCoで困ったらどこに相談したらよいの？

iDeCoの口座開設をする際や口座開設した後にわからないことがあった場合、どこに相談すればよいのでしょうか？　手続き関連ならば取引する金融機関のiDeCoコールセンター等です。

## 手続き関連はとっても親切、主にコールセンターで

iDeCoの口座開設は専用のコールセンターがある金融機関が多くあります。さらにフリーダイヤルを用意しているところも多く、とても親切に対応してくれます。

iDeCoの口座は1人1口座しか作れませんが、資料請求は複数機関あてに行っても構いません。資料請求した後、郵送で送られてくる口座開設書類を記入、必要書類を同封して返送する場合が多いでしょう。この手続き関連の質問は、それぞれの金融機関のiDeCo専用コールセンター等に確認できます。自身がiDeCoにいくら拠出が可能か等を、口座開設書類を記入する前にしっかり確認しておくと、その後の手続きがスムースになります。

口座開設終了後に実際にどの商品を買うのか、といった配分指定もネットや電話でできる場合が多いです。

## 商品選びのアドバイスは求められない

フリーダイヤルで電話した担当者に、「どの投信にすればよいの？」と聞いても答えは返ってこないでしょう。iDeCoの商品選択は自分で行うもので、顧客のライフスタイルやリスク許容度等を担当者はわかりません。コールセンターの主な役割は事務関連の質問に答えることです。

また、仮に提案があった場合でも、販売者側は金融機関の収益に貢献する「コストの高い」投信を勧めるスタンスであると考えたほうが無難です。

金融機関のサイトや売れ筋ランキング等で判断することは危険です。これまでに学んだ知識を活用して、低コストの投信をまず選択肢にしてください。

## 信頼できるサイトがわかる便利帳

iDeCoサイトの便利帳を作ってみました。iDeCoの制度や金融機関の選び方のおさらい、金融機関の一覧表を調べるために信頼できるサイトとしては「iDeCo公式サイト」です。国民年金基金連合会が運営しています。ウチの所長サンの解説、有識者によるiDeCoのコラム第4回の「iDeCoの選び方」も載っています。

GPIF(年金積立金管理運用独立行政法人)は世界最大の機関投資家の1つで、このポートフォリオは、4-11で紹介しました。ぜひご覧ください。

また、モーニングスターの「信託報酬等」は信託報酬＋アルファの費用も含めたコスト表示があり、最も参考にしてほしいデータです。



**iDeCoサイト便利帳**

| サイト名 | 備考・特徴／HPアドレス |
|---|---|
| iDeCo公式サイト | 国民年金基金連合会<br>https://www.ideco-koushiki.jp/ |
| iDeCo公式サイト<br>iDeCoの選び方 | 有識者によるiDeCoのコラム第4回　講師　安東隆司<br>https://www.ideco-koushiki.jp/special/column/04.html |
| iDeCo公式サイト<br>運営管理機関一覧 | https://www.ideco-koushiki.jp/operations/ |
| 国民年金基金連合会<br>資産運用状況 | http://www.npfa.or.jp/org/property.html |
| GPIF　基本ポートフォリオの考え方 | 公的年金の運用<br>http://www.gpif.go.jp/gpif/portfolio.html |
| モーニングスター<br>金融機関比較<br>商品内容検索 | 金融機関クリック「信託報酬等」<br>https://ideco.morningstar.co.jp/compare/compare-goods.html |

＊ 2022 年 8 月現在。サイトのアドレスや内容等は変更になる可能性があります

RIA JAPAN おカネ学作成　©2022　おカネ学（株）

7-5

# iDeCoの口座開設手続きの連絡先は？すぐに口座開設できる？

iDeCoで投信運用する場合、ほぼ販売手数料がなくておトクです。しかも運用益で税金もおトク！　早速口座を開きたいのですが、窓口ですぐに口座開設できますか？

## iDeCoの口座開設手続きはフリーダイヤルやネットでも

iDeCo口座での運用はとても有利です。通常の金融機関の窓口取り扱い投信では約3%の販売手数料を金融機関等に払うケースが多かったのですが、iDeCoでは大多数のケースで販売手数料ゼロになっています。投資家はiDeCoを使うことで、低コスト運用が可能になります。さらに信託報酬の安いものが選べ、運用期間中は運用益が非課税です。なお、iDeCoの口座は1人1口座しか開設できません。非課税枠の重複利用を防ぐためです。

iDeCo専用のコールセンターを用意している金融機関が多くあります。金融機関としてはiDeCoでの採算が低いので、専用のコールセンターやiDeCo専用サイト等で効率的に業務を行っています。

インターネットを普段から使用している人は、インターネットでiDeCoの資料請求を行ってください。郵便で口座開設書類を受け取り、書類に記入や必要書類を同封し、郵送で口座開設手続きを行います。

インターネットが苦手な人はiDeCo専用のコールセンター、「フリーダイヤル」を用意している金融機関が多いので、連絡して資料請求してください。ただし、コールセンターの営業時間が平日に限られているケースも多いので、時間のやりくりが必要かもしれません。

iDeCoの口座開設には国民年金基金連合会の審査等が必要です。**手続完了まで1か月～ 2か月程度の時間がかかる**と思ったほうがよいでしょう。

## 転職して企業型DCからiDeCoに移換する場合

現在の勤務先で企業型DCを利用していた人が、転職先に企業型DCがない場合、企業型で貯めた資金をiDeCoに移す（移換）することができます。

そのまま同じ金融機関で同じ商品を選択すれば簡単と考えているケースが多く見られます。しかし、**「一度すべて現金化」しなければならない**ということを覚えておいてください。

企業型DC等で投資していた投信は、一般的な証券の移管（iDeCoの移換とは異なる漢字です）のように、持っている銘柄をそのまま**売却せずに移すことはできない**のです。退職したタイミングで運用を中止し、「売却」「現金化」を行い、「現金で」iDeCoに移す必要があるわけです。現金化をするのですから、運用は一度リセットすることになります。

このため、企業型DCで利用していたのと**同じ金融機関を選ぶ必要はありません**。この機会に今後取引する金融機関は自分のニーズに合う、特に商品の運用コストが安い金融機関をしっかり選びなおしましょう。



**企業型DCからiDeCoへの移換は一度現金化が必要**

| 企業型DC（旧） | 移す作業 | iDeCo（新） |
|---|---|---|
| 投信A | 一度売却し現金化<br>移換できない | 現金で移る |
| 投信B | | ＊投信Aや投信Bでは移せない |

| 証券会社C（旧） | 移す作業 | 証券会社D（新） |
|---|---|---|
| 投信A | 売却することなく移す<br>移管できる | 投信A |
| 投信B | | 投信B |

RIA JAPAN おカネ学作成　©2022　おカネ学（株）

- **iDeCoは1人1口座しか利用できない**
- **iDeCoはコールセンターで電話対応可能だが、時間に制約も**
- **企業型DCからiDeCoへの移換は一度すべて売却して現金で行う**

7-6

# iDeCoの初期設定作業、掛金の配分を指定する

無事にiDeCoの口座開設が完了しました。次は、初期設定で、どの投信を買うかの指定をします。その時に、つまずきそうなポイントを説明します。

## iDeCoの5,000円積み立てで基準価額1万円の投信は買える?

iDeCoを使ってこれから積み立てる資金は、主に自分の銀行口座等金融機関から口座振替で行います(会社員の場合、給与天引きが利用できる場合もあります)。

**掛金は5,000円以上で1,000円単位**です。

「では、買いたい投信の基準価額が1万円で積立金5,000円だと買えないのでは？」こんな疑問が生まれますが、安心してください。

配分の金額は1円単位で買い付けができます。自分の掛金の何%をA投信に、という指定で、基準価額拠出額より低くても購入できるのです。

## 初めての購入でも「掛金の配分変更」で設定する場合も

さて、初めてこれから購入する投信の配分を設定しようとサイトを見たところ、初回の設定ボタンが見当たらない場合もありました。その場合は初期設定でも「**掛金の配分変更**」というメニューを選んで行います。

「掛金5,000円だから、1銘柄しか買えないか」と心配している人、これも安心してください。掛金全体を100%として、投信Aを50%、投信Bを30%、投信Cを20%といった買い方も可能です。

また、一度決めた配分を変えることも簡単にできます。しかも配分を変更しても手数料はかかりません。様々な銘柄に投資をする分散投資も簡単に指定できます。「開始1年間は先進国株式が好調で先進国100%でよかった。先日、新興国株式で大きな下落・調整があり、価格が安いと考えられるので

今度は新興国80％、先進国20％で積み立てたい」といった変更が簡単にできるのです。

## 初めての購入でも「掛金の配分変更」で設定する場合も

- 掛金5,000円でも基準価額が1万円の投信を購入できる
- 掛金5,000円でも複数の投信を購入できる
- 初期設定でも「配分変更」を選択する場合も

| これからの掛金の指定 | 「配分変更」 | 効果 |
|---|---|---|
| 掛金 5,000円 | 投信A　50%<br>投信B　30%<br>投信C　20% | 5000円でも基準価額が1万円の投信A,B,Cに1円単位で投資できる |

RIA JAPAN おカネ学作成　©2022　おカネ学（株）



また、「掛金の配分」ではなく**「掛金金額自体を変更」することは、1年に1回限り可能**です。たとえば毎月2万3,000円の積立金を5,000円等に引き下げる手続き等は、年1回のみ可能ということです。ただし自身の掛けられる上限金額まで、下限は5,000円までです。

独立開業で会社員（第2号被保険者）から自営業者（第1号被保険者）に種別が変わった場合等は、金額の変更回数には含まれません。

掛金の拠出をやめるということも可能です。ただし掛金を払っていない期間は加入者期間としてカウントされないため、一時金で受け取る場合の退職所得控除額も少なくなってしまいます。ですから最低5,000円以上で継続するほうが望ましいでしょう。

**・5,000円積み立てでも、基準価額を気にせず投信の購入が可能**
**・掛金の配分変更は無料で原則、何回でもできる**
**・最初の購入でも設定を「配分の変更」で行う場合がある**

7-7

# 資産配分先の変更もiDeCoならメリット大！（スイッチング）

**掛金の配分変更をしても、すでに積み立てている資産の内容は変わりません。すでに積み立てた資産や、移換してきた資産の配分の変更には別の手続きが必要なのです。**

## 移換した資産やすでに貯まった資産の配分変更（スイッチング）

企業型DC等からiDeCoに移し替えた移換資産がある場合は、その資産の投資対象先を選ぶ必要があります。またiDeCo導入後に積み立てた資産の投資先を変更したい場合は、前項の「掛金の配分変更」の手続きだけでは不十分です。**「掛金の配分変更」は今後積み立てる掛金を何に投資するかであって、これまでに積み立てた資金や資産を変更するものではないからです。**

iDeCoでは、**すでに貯めた資産の運用対象先を変える**ことができます。これを「**スイッチング**」と呼ぶこともあります。

## iDeCoなら投資の資産配分を機動的に変えてもコスト安

iDeCoでない一般口座で投信運用する場合には、商品の乗り換えを行うと、利益にかかる税金に加えて乗り換え時に販売手数料がかかることが多いです。しかしiDeCoなら、**①利益にかかる税金（20.315%）が非課税**、**②投信乗り換え時の販売手数料が原則ない**ので、乗り換えデメリットが少ないのです。

## 聞きなれない「アセット・ロケーション」の復習

同じ商品で同じように運用しても、iDeCoならば非課税でした。NISAやつみたてNISAでも運用益が非課税ですね。このように商品をどの制度やどの金融機関で運用するかを決めることが、アセット・ロケーション（4-1）でした。

**資産（asset）を何に振り分けるか、その配分を決める（allocate）ことをアセット・アロケーション（asset allocation）といいます。**これに対し、**「アセット・ロケーション」（資産の置き場所）**という言葉も使われるようになっています。同じ商品でも置き場所（location）によって、たとえば課税口座とiDeCo口座では手取りの金額が異なることから重要視されています。

所長コラム

## ますます拡がりを見せるiDeCo

近年、iDeCoを活用する人が急激に増加しています。

国民年金基金連合会運営のiDeCo公式サイトによると、2022年6月末時点でiDeCoの加入者は251万4,000人[*1]を超えました。

最強の運用法といわれるiDeCo、本書第2章ではiDeCoのメリットについて解説しています。節税メリットを活かして賢く資産運用してほしいと思います。

出典：企業年金連合会「確定拠出年金統計資料（2021年3月末）」より一部抜粋

- 配分の変更ができるのは「今後の掛金」と「すでにある資産」の2種類
- すでにある資産の配分変更は「スイッチング」とも呼ばれる
- 配分変更は通常コスト高だが、iDeCoでは問題なし

＊1 2022年8月1日iDeCo公式サイト発表データより。正確な人数は2,514,572人。

7-8

# 実際にスイッチングやってみました！

スイッチングの申し込みは簡単です。でも購入目的の投信の価格は、手続きをした日の価格ではないんです。どういうことか見てみましょう。

## スイッチングは売却してから購入。入れ替えに1週間も

元本確保型の預金から、外国株式にスイッチングを実際に行ってみました。

スイッチングの場合、「A商品を売る。その代金でB商品を買う」という作業になります。ここで注意してほしい点は、買う商品の価格決定日が手続きした日付とはならない、タイムラグが発生する、ということです。

定期預金を「売却」し、外国株式を「購入」した事例です。ネットで「売却」と「購入」の両方を同時に入力します(**【申し込み】5/09**)。

「運用指図日」の表示はかつて記載がなく、わかりにくかったのですが、現在は改善しました。この事例では翌営業日です(**【運用指図日】5/10**)。

指図日ともう1日の2営業日で、定期預金の売却価格が決定し、受渡も同日でした(**【約定日(やくじょうび)】5/11**)。

ようやく定期預金の手続きが終わりになります。

次に外国株の購入の日程に入ります。この事例では、定期預金の「売り」の受渡日の翌営業日が買いの運用指図日となります(**【運用指図日】5/12**)。

指図日とプラス1日の2営業日で、外国株投信の購入価格が決定します(**【約定日】5/13**)。

約定日の翌日が受渡日となります(**【受渡日】5/16**)。

受渡日にはまだデータの反映がされず、その翌日にようやくネット環境で購入が反映されたデータが確認できます(**【データ反映】5/17**)。

## スイッチングの流れ

| | 売却 | | 購入 | |
|---|---|---|---|---|
| 2022年5月9日(月) | 定期預金 | 売り申し込み | 外国株投信 | 買い申し込み |
| 2022年5月10日(火) | 定期預金 | 売り運用指図日 | | |
| 2022年5月11日(水) | 約定日<br>定期 価格決定日 | 定期預金 売却 受渡<br>2営業日(指図日含む) | | |
| 2022年5月12日(木) | | | 外国株投信 | 買い運用指図日 |
| 2022年5月13日(金) | | | 約定日<br>投信 価格決定日 | 外国株投信 価格決定<br>2営業日(指図日含む) |
| 2022年5月16日(月) | | | 受渡日 | 外国株投信 受渡 |
| 2022年5月17日(火) | | | | 明細に反映 |

*預金受渡：2 営業日、外国投信買い受渡：2 営業日の事例
*約定日受渡期間は商品により異なるため、スケジュール表の確認を

RIA JAPAN おカネ学作成　©2022　おカネ学（株）

## 手続き日には価格は決まらない。価格決定日に注意

この事例では5/09(月)に申し込みをしましたが、目的である外国株の購入の価格が決定したのは、4日後(4営業日後)でした。

「今日下がっているから買い」といった、**一般の証券口座のようなリアルタイムの注文とはならない**ということです。

「売却」「購入」すべての手続きが完了するまでには、10日以上かかる場合もあります(売りだけで受け渡しに8営業日の事例もあります)。

- **スイッチング手続きは「売却」した後に「購入」**
- **買いたい投信の価格決定日は４日後の例も**
- **商品の乗り換えはリアルタイムではできない**

## うまい投資話にはくれぐれもご注意を！診療報酬事件を振り返る

### MRIインターナショナル事件

医療の診療報酬を保険会社に請求できる権利への出資を募り、約1,300億円を約8,700人から預かったとされています。預かった資金は配当金への支払いに充てられていた以外に、個人的な出費に流用されていたようです。

事件発覚後、2013年4月に金融庁はMRIインターナショナルの取引業の登録を抹消しました。米ラスベガスの会社を利用したことで、何となく高度な運用のイメージを醸し出したのだと推測されます。

### レセプト債、オプティファクター事件

医療機関の診療報酬請求権を買い取り、「レセプト債」と呼ぶ債券を発行していたファンド等が破綻した事件でした。ファンドの運営会社「オプティファクター」等3社が発行したレセプト債は、アーツ証券（破綻）等証券会社7社を通じて投資家に販売されました。

2015年10月末時点で、発行残高は約227億円、投資家は約2,470人に上ったとのことです。

この2件の事件は、ほぼ同じ手口といってよいでしょう。実際にMRIに投資をしていた投資家に、破綻前に投資内容を聞くことができました。

「合理性がないので、詐欺の可能性が高い。至急解約したほうがよい」と警鐘を鳴らし、結果その投資家は難を逃れました。当時おかしいと感じたところは、円建てでの元本保証でした。為替のリスクを回避するコストが少なくとも1％～1.5％くらいかかる市場環境で、米国の診療報酬を日本人に販売することが合理的ではないと感じました。仮にファンド側の言い分が正しいならば、ファンド運営者自らが、米国でそのリターンを取りにいくのが通常だと考えたのです。

わざわざ飛行機の旅費をかけて、為替ヘッジコストをファンドが負担して、異国の日本人に販売する姿には、普通でないものを感じたのです。

金融に長く携わった「販売者でない」者が見れば、奇妙なものは判明します。

富裕層は身近に金融について相談できる参謀を置きます。大事な財産を失わないために、信頼できる専門家との関係が重要と考えているからでしょう。

8

# 第8章
# 今さら聞けない「年金制度」教えてあげる!

## 8-1 今さら聞けない年金制度①
# 国民年金って何？

「新聞やTV等で『国民年金』って聞くことがあります。わかったフリをしていますが、実はさっぱり意味が。今さら聞けません」
ハイ！　教えちゃいます。

## 国民年金って何ですか?

まず「年金」って何でしょうか？「毎年定期的にお金を受け取る制度」と考えてください。では「国民年金」とは何でしょうか？

日本国内に住む20歳以上、60歳未満のすべての人は「国民年金」に加入する必要があります。年金に加入すると、**65歳から年金を受け取れる仕組み**です（受け取る時は**老齢基礎年金**と名前が変わります）。

それ以外にも病気やケガで一定の障害を負ってしまった場合に支給される**障害基礎年金**、稼ぎ手である大黒柱が早くに亡くなってしまった時に、18歳以下の子が受け取れる**遺族基礎年金**も含まれています。

## 国民年金は暮らしを守っている「社会的扶養」

日本の社会は「国民皆保険」という制度をとっています。原則20歳以上の人が皆、加入するという制度です。人は病気やケガ、年齢で働けなくなる場合等があります。**自立して生きていくことが難しい人を援助することが扶養**です。

社会的に弱い立場の人も、「社会全体で支えて安心して生活できる仕組み（セーフティネット：**社会的扶養**）」が国民年金で支えられています。しかし、支えるにはお金がかかります。そのお金は皆で負担すべきものです。「年金は掛けた分が受け取れないから損」という考え方も残念ながらあります。しかし、自分が働けなくなる等弱い立場になった時に、自分自身の預貯金、家族の支えだけで一生涯生きていけるでしょうか？　そんな社会を皆さんは望むでしょうか？　仮にあなたの両親が年老いて、昼夜の区別がつかなくなり

24時間徘徊するような場合に、あなただけで仕事を続けながら親の面倒を見続けられますか？　自分の預貯金や収入だけで、弱い両親の面倒を、一生涯社会に頼ることなく見ることができるでしょうか？

## 「公的年金・恩給」だけで生活している高齢者

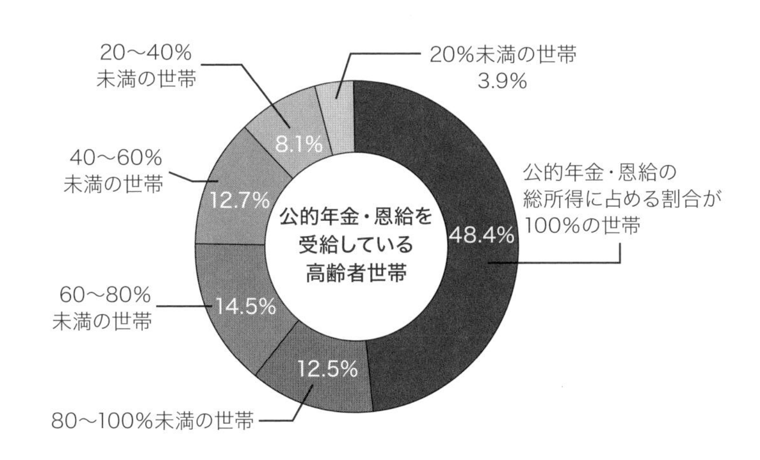


出典：厚生労働省「2019年　国民生活基礎調査の概況」
https://www.nenkin.go.jp/service/kokunen/kanyu/hatachi-tetsuduki.html

日本でも以前は、いとこを含めた家族・親族で世話をする「私的扶養」が一般的でした。しかし、夫婦と子供のみの「核家族」や一人暮らしが増えてきました。さらに日本国民の高齢化も進み、「私的扶養」は困難になってきたのです。「公的年金・恩給」に所得の100%を頼っている高齢者世帯が48.4%にも及んでいるのです（注　公的年金・恩給を受給している高齢者世帯対象）。

- **国民年金には病気やケガ、年若い遺族に払われる仕組みもある**
- **自立できない人を社会全体で扶養することを「社会的扶養」という**
- **核家族化、高齢化等で社会的扶養が現代に合っている**

## 核家族化、高齢化、長寿化、都市人口集中

### 一人っ子のあなたが地方に住む両親2人の面倒見られますか？

「私的扶養」では自立できない人を親族や大家族で扶養してきました。しかし、おじいさん・おばあさん、父母、子供という**三世代で同居する世帯**は1960年には**411万**であったものが、2015年には**220万と半減**しています。

一方、**高齢者の単身世帯**は1960年には**13万世帯**でした。2015年には**593万世帯**と激増しています。

さらに、家族の人数は1960年代には1世帯で**4.47人**であったものが2015年には**2.33人**まで減少し、夫婦と子供のみの「核家族化」が進んでいます。

そして長寿化です。55年間で、**男性65.32歳は80.75歳へ**と約15歳、**女性70.19歳は86.99歳へ**と約17歳も平均寿命が変化してきているのです。

「三世代同居が減少」し、夫婦と子供だけの「核家族化」が進みました。人々は15年以上も長生きとなり、「高齢化」が進んでいるのです。

さらに都市人口集中です。東京圏・名古屋圏・大阪圏の三大都市圏*1に住む人は1955年には総人口の37.2％でしたが、2015年には51.8％に増加しています（出所：総務省「都市部への人口集中、大都市等の増加について」）。

仮にあなたが、都心でサラリーマンをしている一人っ子だとします。あなたが地方の両親の面倒を見ることは現実的に不可能です。そんな時に国や地方があなたに代わって、老いた両親の面倒を見ていると考えてみてください。

自分で家族の面倒を見る「私的扶養」が難しくなったので、社会全体で面倒を見る「社会的扶養」が現在の日本には合っているということです。

---

*1　東京圏：東京都、神奈川県、埼玉県、千葉県／名古屋圏：愛知県、岐阜県、三重県／大阪圏：大阪府、兵庫県、京都府、奈良県

## 家族をめぐる代表的な変化

| | 過去(1960年) | 現代(2015年) |
|---|---|---|
| 三世代同居世帯数 | 411万 | 220万 |
| 高齢者単身世帯数 | 13万 | 593万 |
| 家族の人数(人) | 4.47人 | 2.33人 |
| 平均寿命 | 男性　65.32歳<br>女性　70.19歳 | 男性　80.75歳<br>女性　86.99歳 |
| 平均余命(65歳時) | 男性　11.62年<br>女性　14.10年 | 男性　19.41年<br>女性　24.24年 |
| サラリーマンの割合 | 53.4% | 88.5% |

出典：総務省「国勢調査」、厚生労働省「完全生命表」、総務省「労働力調査」

8

## 三大都市圏が総人口に占める割合

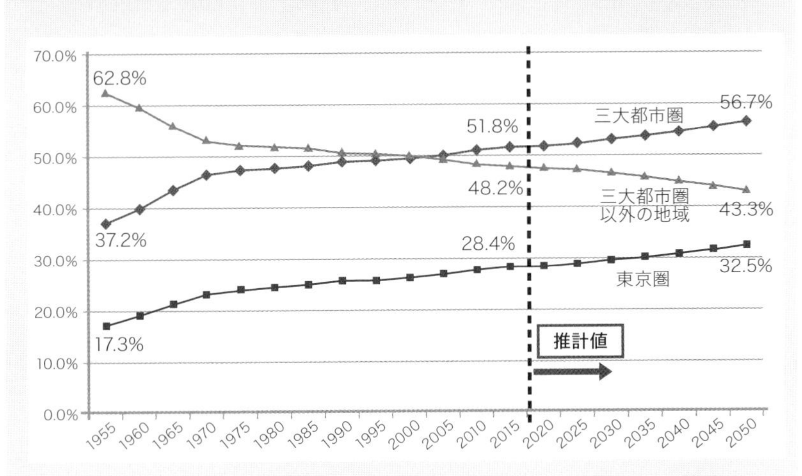


出典：国土交通省国土審議会政策部会長期展望委員会「国土の長期展望」中間とりまとめ

8-2

## 今さら聞けない年金制度②
# 公的年金は一生受け取れるの？

かつて老後資金10年分で十分と思い、積み立てました。しかし人生100年時代の今、60歳引退後10年分では不足してしまうでしょう。でも、公的年金に加入していれば、長生きしてもずっと受け取れます！

### 公的年金の特徴—生涯にわたって受け取れる

「長生きリスク」という言葉があります。自分で貯めた資金は、使い尽くしてしまったら、もう後がありませんね。長寿になったためにお金が足りなくなってしまうことがリスクになっているのです。私的扶養の大きな問題点となっています。

一方、公的年金は長く生きても「**生きている間、受け取れる**」仕組みになっています。長生きリスクに対応しているわけですね。

社会全体で困った人を支える仕組み、社会全体でお年寄りに仕送りをしているイメージと考えてよいのではないでしょうか。

### なぜ公的年金は掛けた分を後から受け取るわけじゃないの？

預貯金等は、自分で積み立てたお金を自分で使います。自分の老後のために積み立てる「私的年金」はこの形です（積立方式）。

「公的年金」*1は、現在現役で働いている人が社会保険料を納めます。それを国が「現在のお年寄りへの年金」等として配布しているイメージです（P.206「保険料と年金のバランスの変化」図参照）。

将来私たちが年金を受け取る時は、その時に現役で働いて公的年金を納めている人々が納めた分を受け取ることになるのです。しかしどうしてそんな方式を取る必要があるのか、疑問が湧いた人もいるのではないかと思います。

＊1　公的年金は国民年金、厚生年金（旧共済年金を含む）。

## 引退後カレーライス生活分貯蓄していたら？　物価の変化を考える

カレーライス好きの所長さんのお父さんが、退職後は1日3回、1か月30日カレーで過ごす前提で、引退後10年分の老後資金を積み立てたとします。1965年ではカレー1皿105円でした。1か月の食費は105円×3食×30日＝9,450円。老後10年間分は9,450円×12か月×10年＝113万4,000円でした。

しかし、2015年になるとカレーライスは1皿739円[*2]で、10年分の老後資金だった資金は512日分にもなりません。しかも平均寿命は80歳を超えているので、60歳引退ならば老後資金は10年分では不足し、20年分やそれ以上必要になっているのです。

公的年金が積立方式でない理由の1つは社会のセーフティネットであるからです。自立できない人を扶養する必要があるからですね。

また、公的年金は生きている間、ずっと年金を受け取ることができます。老後のために必要な資金は10年分から20年分へ、さらに今後も変化するかもしれません。現役世代の稼ぎを分配する理由は、**物価の変化に対応**するためでもあります。

8

**引退後のカレーライス生活用資金を積み立てたが…**

| | 1965年 | | 2015年 |
|---|---|---|---|
| カレー1杯 | 105円 | | 739円 |
| 1カ月カレー生活 積立金額は | 105円×3食×30日＝9,450円 | 9,450円で 何日分→ | 4.3日分 |
| 10年間カレー生活 積立金額は | 9,450円×12か月×10年 | 1,134,000円で 何日分→ | 1年5か月弱　511.5日分 |

※総務省統計局「小売物価統計調査」を基に作成　　RIA JAPAN おカネ学作成　©2022　おカネ学（株）

- **公的年金は自分の積み立てを受け取る方式ではない**
- **昔の積み立て、引退後カレー生活では1年5か月しかもたない**
- **物価や寿命の変化から、その時の保険料を分配する方式が向いている**

ここがポイント！

＊2　総務省統計局「小売物価統計調査」より。

8-3

## 今さら聞けない年金制度③
# 2階建て年金って何？

「新聞やTV等で年金には2階建てになっている部分があると聞きました。わかったフリをしていますが、実はさっぱり意味がわからず今さら聞けません」
ハイ！　教えちゃいます。

### 公的年金は、国民年金、厚生年金(含む旧共済年金)

公的年金には日本に住んでいる20歳以上60歳未満のすべての人が加入する「国民年金」のほか、サラリーマン等が加入する「厚生年金」、公務員や私立学校の先生等が加入していた、旧称「共済年金」（平成27〔2015〕年10月から共済年金は厚生年金に一元化）があります。

すべての人が加入している「国民年金」（受け取る時は「老齢基礎年金」）を建物の「1階」部分と考えます。「厚生年金」（含む「旧共済年金」）は「国民年金」に上乗せして納める年金で、建物の「2階」部分に当たるわけです。

サラリーマン等の場合、勤務先が「国民年金」部分と、上乗せの「厚生年金」の部分を、給料から自動的に引き落として納めている場合が多く考えられます。また、**厚生年金の保険料は勤務先が半分負担**しています。

一方、自営業者等は、自力で上乗せしないと、年金が1階のみになってしまうわけですね。

### 公的年金は現役世代2.3人で65歳以上の1人を支えている

内閣府の『令和3年版高齢社会白書』によれば、**昭和25(1950)年**には1人の65歳以上の者に対して**12.1人の現役世代(15 ～ 64歳の者)**がいたとされています。平成27年(2015年)には同様に1人の65歳以上の人を支えるための**現役世代は2.3人**になってしまったのです。

2020年10月1日において日本の総人口は1億2,571万人です。そして65

歳以上の人口は3,619万人であり、総人口に占める割合（高齢化率）は28.8%になっています。今後も高齢化率は上昇し、**令和47年（2065年）**には1人の65歳以上の人を支えるには**1.3人の現役世代**という比率になると推計されています。

物価の変動により、1965年当時の水準なら10年分の老後資金と考えられた積み立てが、現在では1年5か月分に満たないという、シミュレーションを8-2で挙げました。

支える人数が減れば、財源が不足しますから、保険料を上げるか、年金受給額を減少させなければバランスがとれなくなるわけです。

## 日本の公的年金制度は2階建て

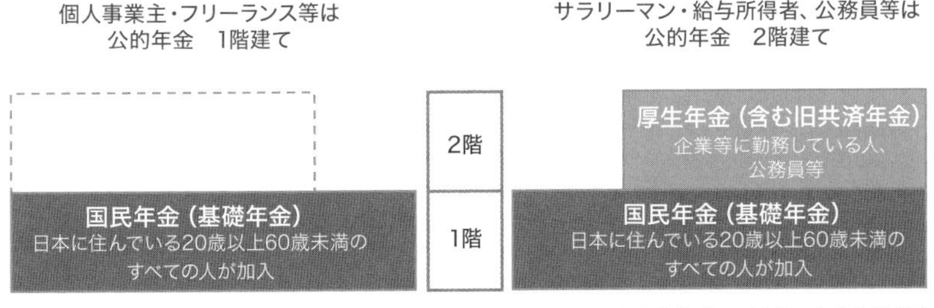


RIA JAPAN おカネ学作成　©2022　おカネ学（株）

- 公的年金は2階建て、1階部分が国民年金（基礎年金）
- 2階部分は会社員、公務員等は「厚生年金」
- 現在は現役2.3人で、2065年には1.3人でお年寄りを支える

8-4

# 今さら聞けない年金制度④ なぜ3階建て年金を目指すの？

「公的年金は現役世代の稼ぎを分配し、物価の変化には強いことは理解しました。公的年金の受取額で老後安心して生活できますか？」…教えちゃいます。

## 公的年金っていくらもらえるの？　安心して生活できる？

国民年金（老齢基礎年金）の受給額は月あたり約6万4,816円です（2022年4月～、厚生労働省）。また給与所得者等が受け取る厚生年金モデルケースでは、夫婦2人分で21万9,593円、約11万円／1人（含む老齢基礎年金）です。

公的年金は「**賦課方式**（ふかほうしき）」という、その時に現役世代が稼いだお金で、高齢者に年金を支給するシステムです。少子高齢化により、年金受給者は増える一方、若い働き手が少なくなっていく事態は避けられません。結果として、年金の受取額が減ることが予想されます。国の制度のみに頼ることばかりでなく、自助努力として自身で運用の知識を身につけて、老後に備える必要がありそうです。

## 3階建て年金、私的年金とは何か

公的年金は賦課方式で、自分が掛けた金額よりも少なく受け取る場合も十分あり得るシステムでした。そこで、自分が掛けた金額とその間の運用損益を、自分自身が受け取る「私的年金」制度の拡充が、2017年に行われたわけです。制度の拡充は、「**iDeCoを活用すれば現役時代の税金を所得控除で減額するので、自助努力で老後に備えてほしい**」という行政のメッセージだと思うのです。

第5章のケーススタディで、あなたがiDeCoにいくら掛けることができるかを解説しました。また個人事業主が利用できるiDeCo以外の小規模企業共済、国民年金基金の制度についても、当てはまる人は第5章を復習してください。

## 企業型DC加入者のiDeCo加入の要件緩和後（2022年10月1日施行）

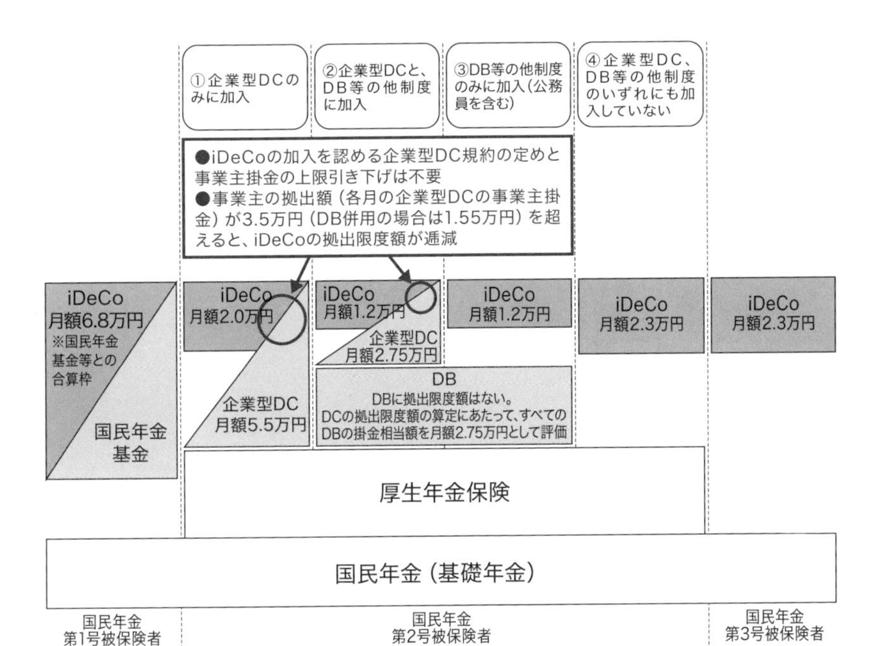


※1 月額2.0万円（DB併用の場合は1.2万円）、かつ、企業型DCの事業主掛金額との合計が月額5.5万円（DB併用の場合は2.75万円）の範囲内で、iDeCoの拠出が可能
※2 マッチング拠出を導入している企業の企業型DC加入者は、企業型DCの事業主掛金を超えず、かつ、事業主掛金額との合計が拠出限度額（月額5.5万円、DB併用の場合は2.75万円）の範囲内で、マッチング拠出かiDeCo加入かを加入者ごとに選択することが可能
※DBには、厚生年金基金・私立学校教職員共済制度・石炭鉱業年金基金を含む

出典：厚生労働省HP
（https://www.mhlw.go.jp/stf/seisakunitsuite/bunya/nenkin/nenkin/kyoshutsu/taishousha.html）

- 国民年金の支給額は約6万4,816円、厚生年金は約11万円
- 少子化で、高齢者1人を支える現役世代の負担は増加
- 公的年金に加え「私的年金」が老後を支える

## 保険料と年金のバランスの変化

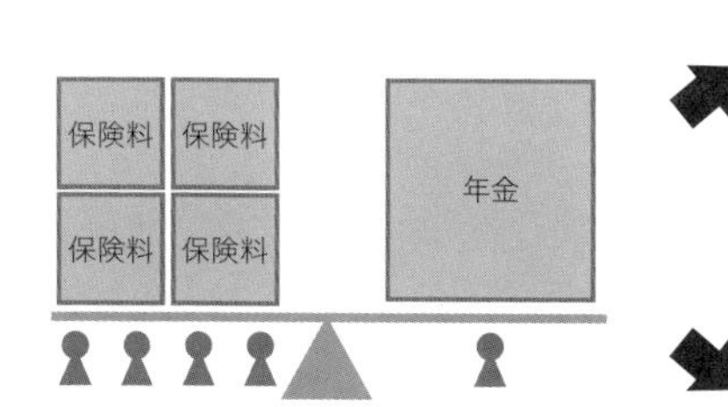


現役4〜5人で高齢者1人を支えていたが
現役世代が減ると……

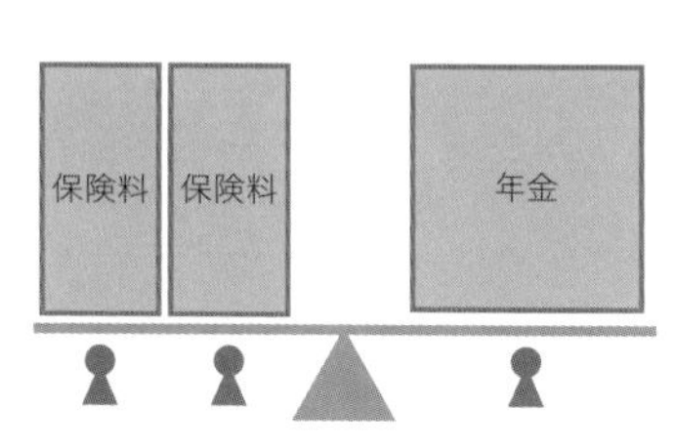


現役1人の負担が大きくなる

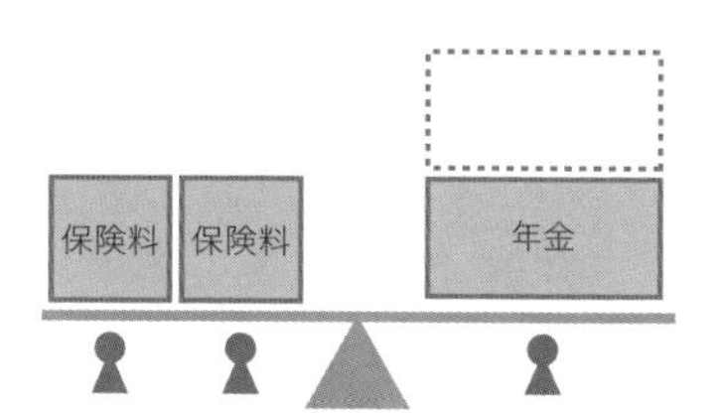


現役の負担は変わらないが
高齢者の受給額が小さくなる

RIA JAPAN おカネ学作成　©2022　おカネ学（株）

## 高齢人口と20 〜 64歳人口の推移

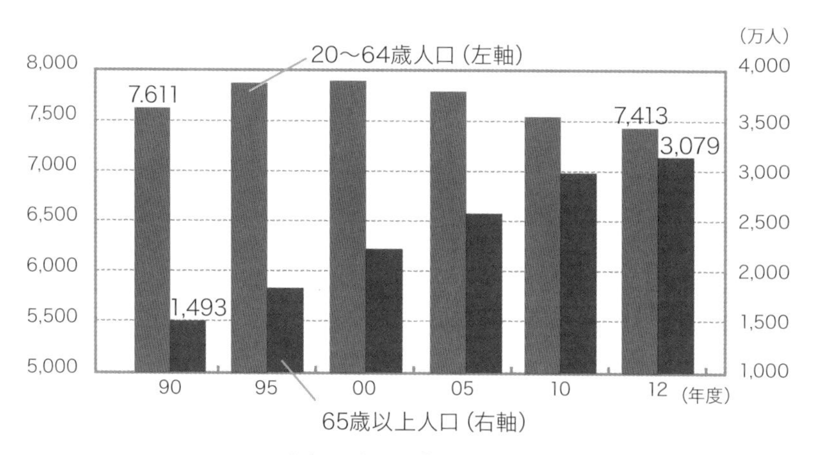


出典：財務省HP「2025年、高齢者1人を現役世代何人で支える？」

## 参考　2022年9月30日までのDC拠出限度額

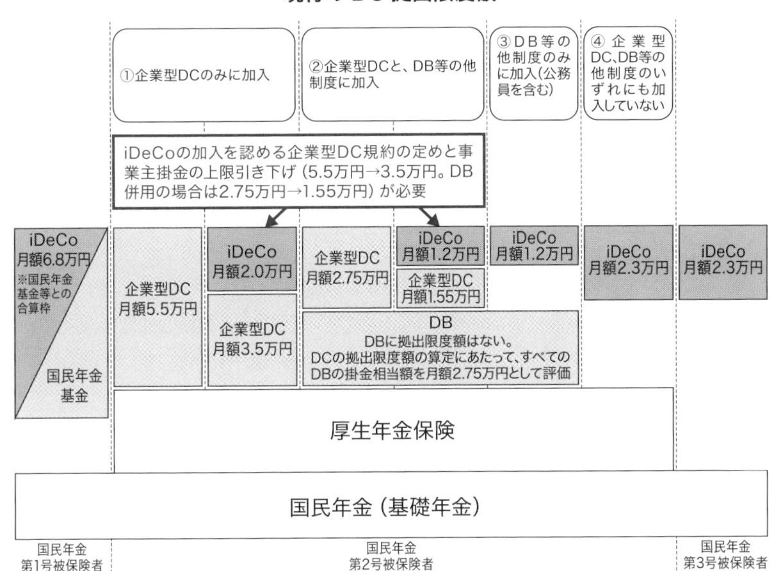


※1 企業型DC加入者は、マッチング拠出ができることを企業型DC規約に定めない場合であって、①iDeCoに加入できること、②企業型DCの事業主掛金の上限を月額3.5万円(DB併用の場合は1.55万円)以下とすることを企業型DC規約で定めた場合に限り、月額2.0万円(DB併用の場合は1.2万円)の範囲内で、iDeCoの拠出が可能
※2 マッチング拠出を導入している企業の企業型DC加入者は、企業型DCの事業主掛金を超えず、かつ、事業主掛金額との合計が拠出限度額(月額5.5万円、DB併用の場合は2.75万円)の範囲内で、マッチング拠出が可能
※DBには、厚生年金基金・私立学校教職員共済制度・石炭鉱業年金基金を含む

出典：厚生労働省HP
(https://www.mhlw.go.jp/stf/seisakunitsuite/bunya/nenkin/nenkin/kyoshutsu/taishousha.html)

## DB等の他制度掛金相当額の反映後（2024年12月1日施行）

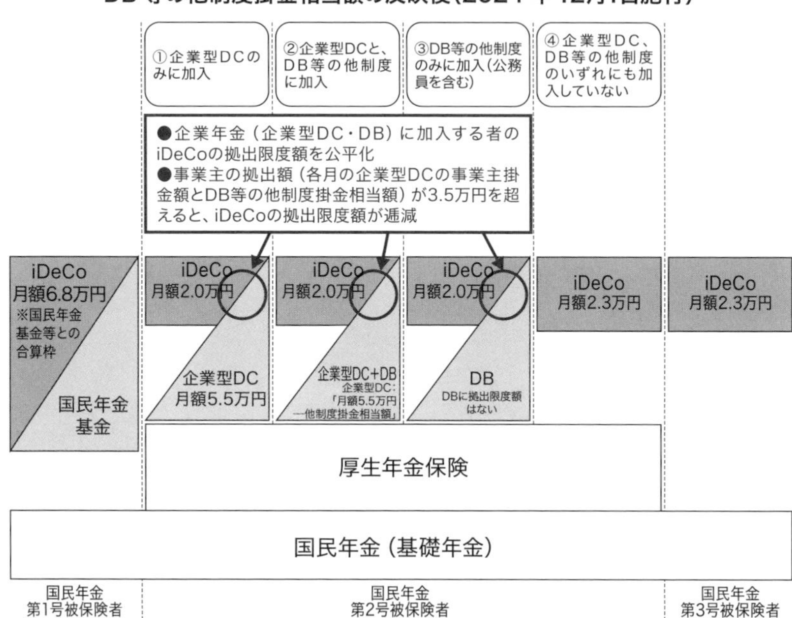


※1　企業型DCの拠出限度額は、月額5.5万円からDB等の他制度掛金相当額（仮想掛金額）を控除した額。他制度掛金相当額は、DB等の給付水準から企業型DCの事業主掛金に相当する額として算定したもので、複数の他制度に加入している場合は合計額。他制度には、DBのほか、厚生年金基金・私立学校教職員共済制度・石炭鉱業年金基金を含む

施行（2024年12月1日）の際、現に事業主が実施する企業型DCの拠出限度額については、施行の際の企業型DC規約に基づいた従前の掛金拠出を可能とする（経過措置）。ただし、施行日以後に、確定拠出年金法第3条第3項第7号に掲げる事項を変更する規約変更を行った場合、確定給付企業年金法第4条第5号に掲げる事項を変更する規約変更を行うことによって同法第58条の規定により掛金の額を再計算した場合、DB等の他制度を実施・終了した場合等は、経過措置の適用は終了

マッチング拠出を導入している企業の企業型DC加入者は、企業型DCの事業主掛金額を超えず、かつ、事業主掛金額との合計が拠出限度額（月額5.5万円からDB等の他制度掛金相当額を控除した額）の範囲内で、マッチング拠出が可能。マッチング拠出かiDeCo加入かを加入者ごとに選択することが可能

※2　企業年金（企業型DC、DB等の他制度）の加入者は、月額2.0万円、かつ、事業主の拠出額（各自の企業型DCの事業主掛金額とDB等の他制度掛金相当額）との合計が月額5.5万円の範囲内で、iDeCoの拠出が可能。公務員についても同様に、月額2.0万円、かつ共済掛金相当額との合計が月額5.5万円の範囲内で、iDeCoの拠出が可能

出典：厚生労働省HP
（https://www.mhlw.go.jp/stf/seisakunitsuite/bunya/nenkin/nenkin/kyoshutsu/taishousha.html）

9

# 第9章 運用失敗事例研究と「運用の真実と顧客目線」

# 9-1 「預金」なのに元本割れ？ 外貨預金は両替コストに注意

「銀行のお勧めで金利の高い外貨預金で運用しました。預金だから元本割れもない…あれ？　元本を割り込んでいる？」外貨預金の為替手数料、高くないですか？

## 銀行なら安心？　でも外貨預金は元本保証ではない

多くの人々が銀行は安心で親切、信頼できるとの印象を持っています。そして高齢者の人は特にその傾向がありますね。銀行には公共サービスが求められている側面があるのは事実です。お正月のお年玉用に紙幣の新札への交換や、紙幣と硬貨の一定量の両替等、「タダ働き」で一切収益を生まない業務もありますね。反面、銀行は株式会社等の「私企業」の営利団体がほとんどです。そして従業員はそれぞれ目標（ノルマ）を持っています。

「株や投信はイヤだけれど、預金なら元本保証で安心なので、勧められた外貨預金に投資しました」。一見、正しいように思われますが大間違いです。

**「外貨預金」は全然元本保証ではありません。**

## 今さら聞けない！　130円が120円なら、円安？　円高？

まず、外貨投資に必要な円高、円安のおさらいをしておきましょう。

高級時計を買いたいと思っているとします。価格が1万ドルです。仮に現在の為替水準が1ドル130円ならば、1万ドルの時計は**130円×1万ドル＝130万円**です。

ではその後1ドルが120円になったとしたならばどうでしょうか？

**120円×1万ドル＝120万円**です。

同じ1万ドルの時計が10万円も安く買えました。円がドルに対して強くなったからです。円がドルに対して高くなったので、**数字は130から120**

**と小さくなりましたが「円高」**というわけです。

金融資産に投資した場合も同じです。別の為替水準の事例です。3か月前に110円で米ドルを買いましたが、現在は円高で100円になっていたとします。当時110万円だった1万ドルが今は100万円で買えるのです。今、日本円ベースで換算すると10万円の損をしていますね。従って**「円高」で「10万円の為替差損」**となるわけです。

## 同じ1万ドルでも為替水準で日本円の時価評価が変わる

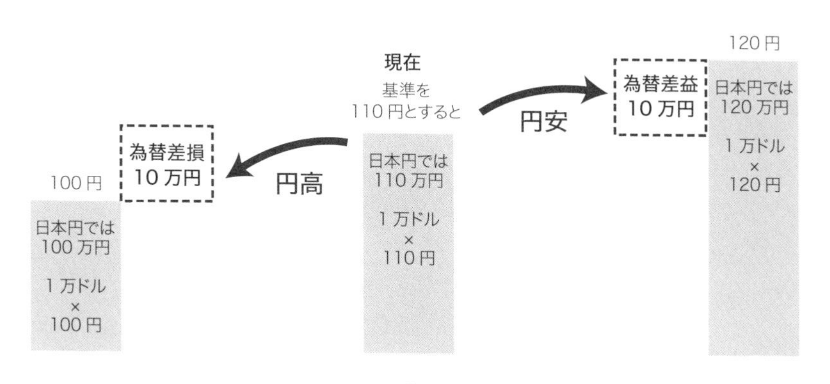


RIA JAPAN おカネ学作成　©2022　おカネ学（株）

ここで外貨預金を考えます。外貨預金は「外貨ベースで元本保証」なので預金と名乗っているわけです。3か月前の1万ドルに50ドルの利息が付き、1万50ドルになったとします。ドルベース（ドル建て）では元本が増えていますね。しかし、為替は当時110円だったものが100円になっていたらどうなるでしょうか？　今の円換算額は100円×1万50ドル＝100万5,000円ですね。当初は110円×1万ドル＝110万円でした。なんと9万5,000円も損しています。

為替の変動（為替リスク）はこれほど影響が大きいのです。為替の差損が利息より大きい、**「為替差損＞運用益」**となり得ることがわかりましたね。

## 「銀行なら安心」と妄信する前に手数料のチェックを

外貨預金の元本割れリスクにはもう1つ、極めて重要な事柄があります。

結論を言いますと「為替手数料(両替手数料)」です。では事例を見ていきましょう。

投資元本1,000万円を豪ドル(AUD)2.5%で3か月運用した場合の事例です。手数料は1回あたり(片道といいます)95銭、0.95円だったとします。

**1,000万円を豪ドル建て2.5%で3か月運用したら**

| | | | |
|---|---|---|---|
| 両替 | 1000万円を豪ドル(AUD)両替<br>AUD/JPY＝84.36<br>手数料　95銭(0.95円) | 117,219.55　AUD | 投資元本<br>**10,000,000円**<br>1000万円÷<br>(84.36+0.95)＝ |
| 外貨運用 | 年利2.5%（0.025)で3か月<br>(92日)運用、税金20.315%<br>税引き後は　×0.79685 | 117,219.55×0.025÷<br>365日×92日×0.79685<br>＝588.58　AUD | |
| | 運用後の元本＋利息(元利金) | 117,219.55+588.58＝<br>117,808.13　AUD | |
| 両替 | AUD元利金をJPYに両替<br>為替水準は経時変化なし84.36<br>手数料　95銭(0.95円) | 117,808.13×(84.36−<br>0.95)＝ | 9,826,376円 |
| | 運用後の損益 | | **−173,624円** |

※データは仮定で概算。正確性を保証するものではありません

RIA JAPAN おカネ学作成　©2022　おカネ学（株）

1,000万円をAUDに両替すると11万7,219.55豪ドルになり、3か月の利息が588.58豪ドル、元利合計で11万7,808.13豪ドルになります。

これを日本円に戻すと982万6,376円になります。17万3,624円の損失です。

為替差損でしょうか？　いえ、この事例では為替は当初も3か月後も84.36円の水準で変わっていません。しかし、銀行の両替手数料が0.95円かかり、円から豪ドルに両替する時の水準は85.31、運用後に豪ドルから円に両替する時の水準は83.41となっています。この両替手数料が利息より大きいため、**為替手数料＞運用益**で17万円以上も元本割れしてしまったのです。

## 運用益よりも支払い手数料が高いと元本割れも

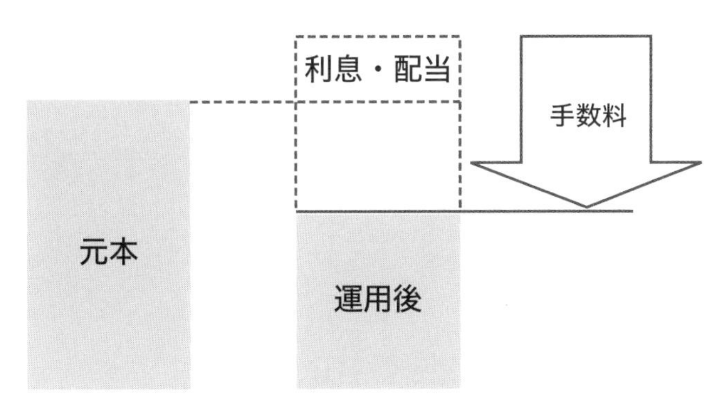


RIA JAPAN おカネ学作成　©2022　おカネ学（株）



販売者側のセールストークはこんな感じではないでしょうか？

「日本円の定期預金の金利はほとんどゼロで0.01％です。でも外貨預金なら3か月で2.5％も付きます。250倍ですよ」

言葉自体は間違っていません。しかし、円定期は元本割れしないのに対し、この条件では為替が同じならば元本割れします。

為替手数料でこの銀行は稼いでいるわけです。キャンペーンで当初1回だけもっと高い金利提示、たとえば3か月で金利11％でも銀行側は損にはなりません（円に戻す手数料往復が条件の場合）。そしてコストを払う顧客は、同じ為替水準ならば、まだ元本割れなのです。

**外貨運用では金利水準ではなく、為替手数料を含めたトータルコストでの利回りを考えることが重要**なのです。

- **外貨預金はまったく元本保証ではない**
- **「為替差損>運用益」や「為替手数料>運用益」があり得る**
- **表面上、高い金利でも、手数料がそれ以上で元本割れがあり得る**

9-2

# 10%のトルコ・リラ債券なら負けない？

「表面利率10%」ならば、がっちりとトクができそうな印象です。しかし両替手数料に往復で18%支払ったら、運用はプラスにならないですよ。

## 新興国債券投資は両替手数料に注意

「表面利率」(額面に対する利息)が高いと魅力を感じますね。トルコ・リラ建て債券、利率10%という事例がありました。これなら、両替手数料で2円くらい支払っても負けないという感じがします。でも注意してください。実は支払いコストがそれ以上である場合もあります。

## 両替手数料、片道2.0円は往復コスト18%に!!

仮に1トルコ・リラが20円だったとします。為替の手数料が片道2円の場合は、300万円を両替しただけで、27万円以上の手数料を払います。コストは9.09%にもあたるのです。往復ならば18%以上になる場合もあるかも。債券10%の1年分の利率を軽く吹き飛ばすコストの高さですね。

## 新興国通貨の為替手数料は対円での水準に注意

両替手数料の水準はとても重要なコストだということがわかりましたね。

今度は同じ1.0円という両替手数料が、米ドルとトルコ・リラという2つの通貨に及ぼすインパクトを比較してみます。支払う手数料と考えてください。

1.0円のトルコ・リラ(20円)のインパクト→約4.76%

1.0円の米ドル(108.61円)のインパクト→約0.91%

「お客様、わずか1円です」と説明された両替手数料が、コストにすると3.8%以上の差がある場合があるわけです。通貨の水準にも細心の注意が必要です。残念な話ですが、仕組みを知らないと、両替する「為替手数料」がこんなにも高かったとは気づかないですよね。しかも、ある事例では商品の説明資料と、「為替手数料」の説明資料が一緒になっていませんでした。お客様に対し、金融機関から為替手数料については十分に説明がされていないケースもありました。

## トルコ・リラ手数料9%?　同じ1円でも差がこんなに!

| | トルコ・リラ　片道2円 | トルコ・リラ　片道1円 | 米ドル　片道1円 |
|---|---|---|---|
| | 300万円をトルコ・リラに両替 | | 300万円を米ドルに両替 |
| 両替 | TRY/JPY=20.00<br>300万円÷(20.00+2.00)=<br>136,363.63トルコ・リラ<br>(TRY) | TRY/JPY=20.00<br>300万円÷(20.00+1.00)=<br>142,857.14トルコ・リラ<br>(TRY) | USD/JPY=108.61<br>300万円÷(108.61+1.00)=<br>27,369.76 米ドル(USD) |
| 両替後の時価 | 136,363,63TRY×20円=<br>2,727,272円<br>(▼272,728円) | 142,857.14TRY×20円=<br>2,857,142円<br>(▼142,858円) | 27,369.76×108.61円=<br>2,972,629円<br>(▼27,371円) |
| 両替手数料(%) | 272,728円÷300万円=<br>9.09% | 142,858円÷300万円=<br>4.76% | 27,371円÷300万円=<br>0.91% |

※トルコ・リラは20円の仮定で概算。USD108.61（2019/12/31）
※正確性を保証するものではありません　　RIA JAPAN　おカネ学作成　©2022　おカネ学（株）

新興国通貨については、水準が大きく変動することにも注意してください。かつて数年前に20円だったトルコ・リラは　7.57円[*1]という水準です。両替手数料が同じ2.0円だと、とんでもない水準になっています。

・トルコ・リラ等、新興国通貨の両替手数料には特に注意
・運用益よりも支払い手数料が高い場合がある!
・1円という水準でなく、コストを%で理解することが必要

＊1　2022年8月10日時点TTM（仲値）、三菱UFJリサーチ＆コンサルティング

# 9-3 外貨保険の手数料、そんなに取られていたの？

投信の販売手数料3％はもちろん高いけれど、気づいていないだけで、もっと高い手数料を取られている場合があります。外貨保険もコストに注意しましょう。

## 保険業法改正の背景は？「100％手数料」も

「高い手数料を（ショップが）受け取れる保険証券ばかり勧められている」という消費者側の不信感が、保険業法の改正（2016年5月）の背景にあるとの指摘がありました。

系列にも属さない保険ショップ（代理店）の出現で、消費者が様々な保険会社の商品を比較できるようになりました。生保販売の1割が保険代理店経由で、業界も販売ルートとしての代理店を無視できなくなり、高めの手数料設定が行われました。かつては「100％の販売手数料」、つまり、年間の保険料と同額の手数料の医療保険（契約期間30年以上）も存在したようです。

一部の保険代理店では販売員メリットが優先されていたのかもしれません。

## 保険受け取り手数料の開示の攻防、L字型支払い

金融庁が金融機関に対し、「保険受け取り手数料の開示」を求めました。金融機関との攻防もありましたが、2016年10月にメガバンクや大手地方銀行が開示を始めました。でも手放しでは喜べません。

手数料を販売時に一括で受け取る「I字型（手数料の推移をグラフ化するとアルファベットのIの字型になるためそう呼ばれる）」だと手数料が高いことが明らかなので、向こう5年～10年にわたり分割して手数料を受け取る「L字型」にすると開始時当初の手数料は「安く見える」仕掛けです。

## 販売手数料7%?　外貨保険は収益源

銀行等金融機関は、保険を紹介して成約した場合に、「販売手数料」として契約額の一部を受け取ります。通常の円建ての保険は2～3%が一般的であるようです。外貨保険や運用付きの変額年金保険の手数料は4～7%程度ともいわれていますが、手数料10%程度のものもあったようです。

保険は控除が使えることもあるので、積極的に活用すべき場合も考えられますが、昨今の低金利の時期には金利水準にも注意が必要です。

**投資信託、一時払い保険、仕組債の平均手数料率の推移**

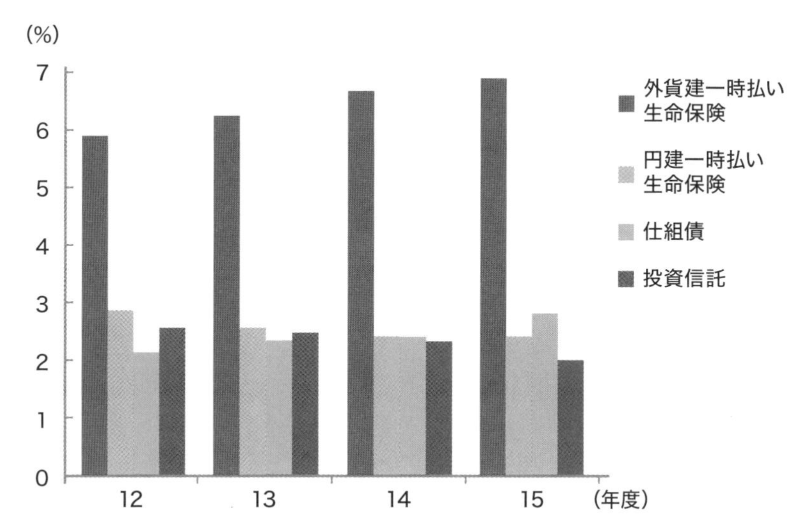


注1　主要行等9行、地方銀行12行の回答を集計（一部有効回答が得られなかった先を除く）。
注2　平均手数料率＝税込販売手数料/販売額
注3　一部、簡易的に税込手数料に換算後、集計。

出典：金融庁事務局説明資料「国民の安定的な資産形成とフィデューシャリー・デューティー②」（平成28年8月2日）

- 外貨建て保険の販売手数料（銀行）は約7%
- 金融機関の手数料開示資料は「L字型」かも

9-4

# ファンドラップの手数料は実質2段階以上

天引きで預けたお金から毎日引かれている信託報酬。ファンドラップ運用はこの信託報酬を含めた2段階以上のコストがかかっていますよ！

## 包装費用だけでプレゼントは買えない

「ファンドラップ」を利用する人が急増しました。広告でもよく見かけるようになっていますね。ファンドラップに投資をする前に気をつけてほしいことがあります。

ファンドラップは、実質的に支払うコストが、とてもわかりにくくなっています。広告等で実際にかかるコストとは異なる場合があります。

よくある誤解は、「ラップフィー」で運用コストが全部だと思っているものです。ラップとは、包むという意味で、中に入っている投資信託のラッピングをする費用が、ラップフィーなのです。物を買った時の代金は包装代のラッピング費用だけではないですよね。

## 大きく表示されている部分はラップフィーだけ

しかし、ファンドラップの多くで「包装代」のみが大きく宣伝されています。ファンドラップの実質コストを分解すると、以下のもの等になります。

**①ラップフィー（運用管理費用）**
**②投資信託の信託報酬等**
**③（解約時手数料＝信託財産留保額）**

しかし、ファンドラップでは「包装代」のみが大きく宣伝されて、肝心の投資信託の代金がよくわからないまま売られています。

**ファンドラップの手数料は2段階以上**

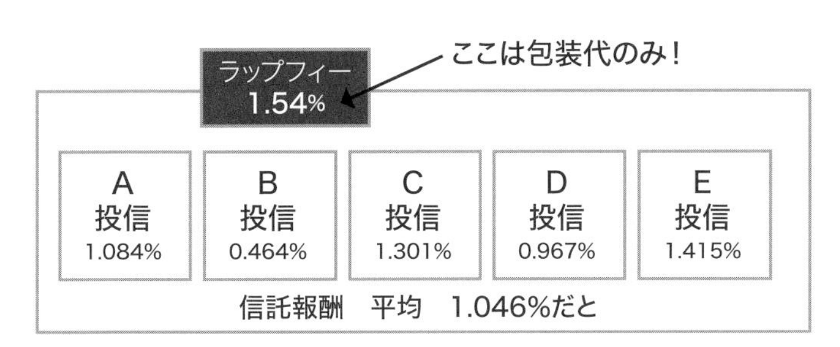


全体の実質コストは　2.586%

RIA JAPAN おカネ学作成　©2022　おカネ学（株）



ラップフィー1.54%だけが必要なコストではないのです。5つの投資信託を均等に組み入れた場合の事例で、信託報酬は平均で1.046%となります。

1.54%＋1.046%＝2.586%　これが実質のコストとなるわけです。

そしてラップフィー、信託報酬の2段階に留まらず、解約時に、信託財産留保額で別途3段階目の手数料を取る場合すらあります。

また、運用成功時に成功報酬がかかるものもあります。表面上のコストが安そうに見えても、20%などの成功報酬は実は高コストです（9-9参照）。

ファンドラップではこれらの手数料の合計がいくらになるのかを把握し、実質コストが2%以上の水準では高すぎることを覚えてください。

そして、信託報酬等の「隠れコスト」については、きちんと説明を受けていないお客様がかなり多くいるようです。販売者の人は、わざわざコストの説明をしないということに注意をしてくださいね。

- **ファンドラップの運用コストには信託報酬も必要**
- **表示されているのは「包装代」のラップフィーだけ**
- **2%／年のトータルコストは高すぎる**

## ファンドラップ解説した金融庁の記事を読み解く

ファンド(投資信託)を組み合わせて投資一任を行うファンドラップについて金融庁が「資産運用業高度化プログレスレポート」で情報開示をしています。販売者はわざわざ語らないため投資家には浸透していない情報です。

### ファンドラップのコスト構造

ファンドラップのコスト構造という図表があります。ファンドラップ手数料と投資一任受任料という、差異不明な報酬の併課された事例が驚きです。表の**A社のコストは3.5%近い水準です。16社のうち1.5%の水準を下回っているのはわずか1社のみで、半数が2.0%以上の実質コスト**となっています。

### ファンドラップの成績は？

コストを含めたコスト控除後の成績で、バランス型投信の平均を上回ったのはわずかに1社のみ(12社中)です。図表紺色の部分が、0.4あたりの投信平均の線を1社しか上回っていないことがわかります。注意すべきは、コスト控除前(差引き前)の水準で「成績がよい」と宣伝するケースでしょう。

**ファンドラップのコスト構造(残高比、年率)**

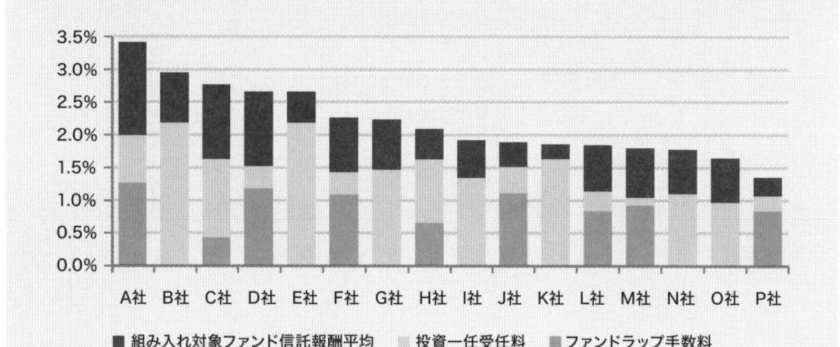


出典：金融庁「資産運用業高度化プログレスレポート2021 」
(https://www.fsa.go.jp/news/r2/sonota/20210625_2/01.pdf )

### コスト高のファンドラップは成績が悪い

左記は2021年のレポートでした。2022年の同レポートも紹介します。

『コスト控除後の5年間のシャープレシオを見ると、バランス型ファンドに劣るファンドラップが依然として多い。コストが高いファンドラップほど、パフォーマンスが劣る傾向がある。』解説：コスト含めた成績ではバランス型投信に劣り、**コスト高のファンドラップほど成績が悪い**のです。

### 国内債券など安全資産の配分が多いと成績が悪い

**安全資産への配分が多いと、成績が悪い**と紹介されています。国内債券等のカテゴリーは、現状の低金利下ではリターンが得られません。ところが運用コストが1.5%以上／年のものが多いため、「逆ザヤ」になるのです。

おカネ学が長年お伝えしてきた、「国内債券に投資すると、負ける確率が高い」と同じ主旨が金融庁レポートに採り上げられています。

9

**ファンドラップ専用ファンドの5年シャープレシオ**

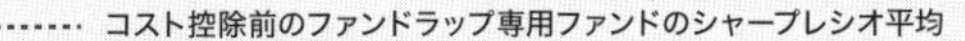

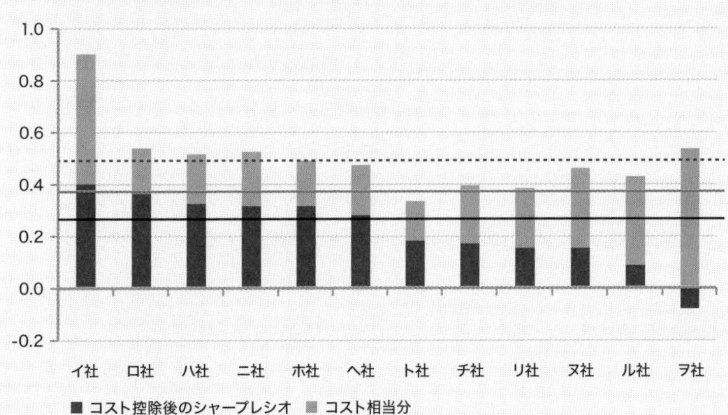


出典：金融庁「資産運用業高度化プログレスレポート2021 」
（https://www.fsa.go.jp/news/r2/sonota/20210625_2/01.pdf ）

9-5

# 苦情だらけの仕組債、実際はそんなにうまい話ではない

**高いリターンが望めそうな仕組債ですが、苦情が急増しているようです。通常の債券とは違う商品です。隠された手数料も実はかなり高いので注意が必要です。**

## 投信乗り換えに替わる高収益商品、仕組債

投資信託を3年程度で乗り換えさせ、その都度約3%販売手数料を支払う事例が以前横行していました。投信乗り換えに金融庁のメスが入り、金融機関が新たな収益源の1つにしたものが仕組債（しくみさい）です。金融商品取引のトラブル解決機関であるFINMAC（フィンマック）から公表されている2020年・2021年の紛争あっせん件数を集計すると、**全体の約41.33%が仕組債に関わるトラブル**でした。

## 「仕組債は債券だから安心」「高格付」はまったく事実と違う！

仕組債とは、債券に株価や為替のオプション・スワップ等を組み入れ、相場の変動に伴って元本の価格が変動する債券のことを言います。

**仕組債＝「デリバティブズ：金融派生商品＋債券」**と分解できます。

金融機関のイメージ戦略では、「債券の格付は高格付けです」といった安心感を与える方法でしょう。しかし、**高い格付は債券部分だけの話です。デリバティブズの高いリスクは格付にまったく反映されていない**のです。

## 損害賠償額　1億9,543万円、1億6,518万円…

FINMACに寄せられた損害賠償請求金額を見てみると、1億9,543万円、1億6,518万円、8,300万円のもの等があります。相場が好調で「運用がうまくいった」と考えて仕組債等に投資を続けていくと、**最後の失敗でそれまでの利益をすべて吹き飛ばし、さらに元本割れを引き起こす場合も考えられます。**

デリバティブズを含む商品がすべて悪いわけではありません。しかしデリバティブズの引き起こすリスクについて、販売している担当者が理解をしていたのか、販売した顧客のリスク許容度に沿った提案だったのか、リスクを十分に説明したか等、販売体制が適切だったかは今後問われるでしょう。

## 仕組み債コストは8 ～ 10%程度も─金融庁公表資料

金融庁のプログレスレポート2022年に仕組債の記載があります。

『…サンプルの中には、僅か3か月で元本の8割を毀損した例もあり、リターンの分布を見ると、頻度は少ないものの損失率の裾野が広い。リスク(分布の標準偏差)は相応に高く、…』

**解説** いろいろな種類の仕組債の1つのEB債(他社株転換可能債)の事例で、**3か月という短期間で元本の8割がマイナスになった**というものです。

『商品特性上、株式との相関が強い一方で、リスク・リターン比は劣後するため、株式に代えてEB債を購入する意義はほとんどないと考えられる。』

**解説** EB債は株価の値上がりに期待するものです。例えば3つの株式の価格の推移で、最も悪かった株式で償還される場合、2銘柄の株価が＋50%、＋30%でも、1銘柄がマイナス80%なら、その下がった株式で支払われ、マイナス80%の評価損を抱える仕組みです。それに、組成時の高いコストが加わるため、**EB債購入する理由はほとんどない**と説明しているのです。

『…実現満期が0.6年程度と短いため、実質コストを年率換算すると8 ～ 10%程度に達すると考えられる。』

**解説** EB債の組成コストは、投資元本の5 ～ 6%程度と推定されます。しかし運用期間終了までが0.6年(約7.2か月)で償還し、また乗り換えとなると1年で2回以上のコストを支払います。**年率に直せば8 ～ 10%**です。「投信乗り換え問題」が「仕組債乗り換え問題」に商品変化したのです。

- **仕組債の高い格付は債券部分だけの話で、全体ではない**
- **EB債を購入する理由はほぼないと金融庁は資料で紹介**
- **EB債の実質的なコストは約8 ～ 10%と高額**

9-6

# 世界的大ヒットのETFは、なぜ日本では知られていないのか

ETFなんて今まで勧められたことがありません。信用できるものなのでしょうか？　信用できるならば、なぜ銀行や証券会社の人は教えてくれないのでしょうか？

## セールスマンがお客様思いとは限らない

株式投資を考えてみましょう。株式を買うにあたり、担当者がいる対面販売形態のA証券のセールス担当が、「インターネット証券のB証券で買うと当社より手数料が安くておトクですよ」とはまず言わないでしょう。

これはアセット・ロケーションの典型例です。同じ商品ですが、買う場所によってコストが異なるという事例ですね。インターネット証券の株式売買手数料は対面証券とは比較にならない安価な場合が多いのです。

日本の個人の株式売買高のシェアの86％は、ネット証券大手7社が担っていました（2018年度）。コストに敏感な投資家は、わざわざ高いコストを払って同じ商品を対面証券で購入するメリットはないと考えているのです。

## なぜETFは店頭で語られることが少ないのか

海外ETFやETF等は、金融機関にとっては収益性が低い商品です。一般の投信では高い信託報酬や、販売手数料の一部が販売会社の収益になるのに対し、ETFは信託報酬が低く、販売手数料もないからです。この事実が広く知られるようになると、一般の投信からETFへのシフトが起こってしまう可能性があります。すると会社の収益が減少することが予想されます。自社のビジネスモデルに大きな影響があるため、あまり公にしたくない事実なのです。

日本での資産運用ビジネスは「テーマ」「旬の商品」である投信への乗り換えを勧め、2～3年で売却・購入を促し手数料収益を得る、という独自の「ガ

ラパゴス化」的変化を遂げてきました。しかし、日本の投資家は米国や欧州等の投資家よりもわざわざ高いコストで投資を行っている事実を知り、グローバル基準の投資運用を行うべきです。本書でおカネ学を学ばれた人は気づく機会を得ました。英語でいう**「Smart Investor：スマート・インベスター、賢い投資家」**を目指してほしいです。

ETFの資産残高は大きな成長を遂げています。その規模は約9.8兆ドル、8,829本という急成長が続いています。日本の個人投資家の低コスト運用へのシフトはこれからもますます続くと考えられます。

## ETFの残高はほぼ10兆ドルへ

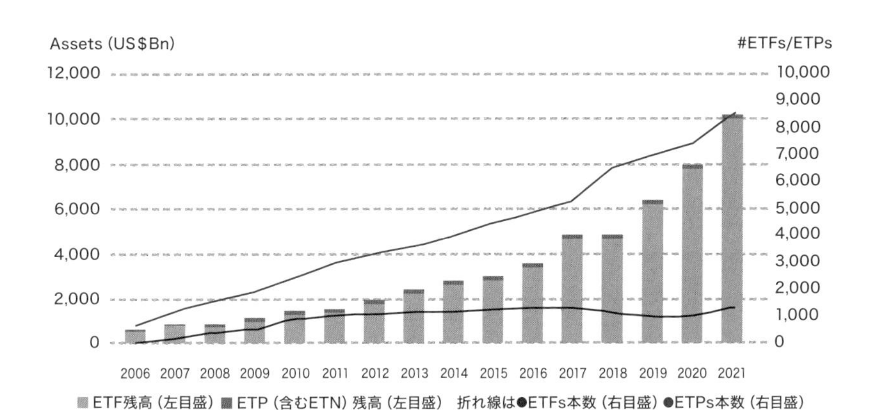


出典：ETFGI 「ETFGI reports」2022/5/11

・日本の個人の株式売買シェアの86%がネット証券
・ETFは販売者側にとって儲からない商品で宣伝メリット小
・ETFは世界的にはその残高が拡大し続けている

9-7

# 海外ETFがなぜ、世界中で選ばれるのか

低コスト投信の中身はETFの場合があります。ETFの特徴、海外ETFと国内ETFの違いはあるのでしょうか？円建てETFでも為替の影響がありますか？

## 国内ETFと海外ETF って何が違うの？

改めてETF って何だっけという人のためにETFの特徴です。ETFは証券取引所に上場し、株式等と同様に取引されている投資信託で、たくさんのメリットがあります。リアルタイムで売買できる、透明性が高い、少額から分散投資が可能、値段を指定しての指値取引が可能、信託報酬が安い傾向がある、販売手数料が無料といったものです。

国内と海外のETFの違いは、円で投資するか、外貨で投資するか、取引所が国内か海外かということになります。国内ETFは国内株式とほぼ同じ手続き、海外ETFは外国株式とほぼ同じ手続きと考えてよいでしょう。

円で投資できるほうが便利と考える人も多いでしょう。外貨には馴染みがないので、円建てのほうが安心との印象もあるでしょう。しかし、円建てのETFや投信でも、投資先の中身が海外であった場合、結果的に為替の影響を受けます。円建てにするコストを都度支払っており、外貨で投資するほうが余計なコストを負担しないケースも多いと思います。

## 国内ETFも低コスト、商品拡充へ

最近は国内ETFも投資家に嬉しい形に変化してきています。

- **以前よりも国内ETFのコスト低下**
- **海外ETFと同様の内容が、東京証券取引所で円建てで投資できる**

等、商品の拡充が進んできています。

日本の東京証券取引所に上場するETFの本数は国内籍239本、外国籍24本(2022/5/30時点)となっています。例えば外国籍ETFはS&P500に連動するもの等もあります。資産規模は国内籍ETFで約60兆円(2022/04/30時点)となっています。

## つみたてNISAやiDeCoの対象投信、中身は海外ETF

つみたてNISAでもiDeCoでも投資対象となっている、あるS&P500指数連動インデックスファンドでは、信託報酬等0.09%と十分に低コストですが、驚くべきことに、**中身は海外ETF1銘柄に投資するもの**でした。ちなみに投資先の海外ETFの信託報酬等は0.03%です。日本の投信会社で●●アセットマネジメントといった投信会社であっても、実際の中身は海外ETFである場合があるのです。そして海外ETFの信託報酬等との差額は、日本の投信会社の収益です。だからこそ、銘柄の投資範囲が広い**NISAでは、海外ETFそのものを選んだほうが、低コスト運用を実現しやすい**のです。また同様の事例ですが全世界株式インデックスファンドでは、信託報酬が0.11%でした。この**投信の中身は海外ETF3銘柄が99%を占めていました。**

**海外ETFが投信会社のプロに使われている**ことがよくわかる事例だと思います。また目論見書や月報等に明らかにETFに投資しているとの記載はない場合でも、「海外の上場株式等に投資する」という記載では、上場株式等の「等」にETFが含まれるため、海外ETFを袋詰めし、自社のラベルを貼って販売している場合も想像されます。当然ながら、海外ETFそのものに投資するよりも若干の上乗せコストが発生しているのです。

- 海外ETFは外国株式と同じ手続き
- 国内ETF市場も低コスト化、商品拡充が進む
- 日本の低コスト投信の中身は実際はETFの場合も

## 注意を要するETF　レバレッジ型、インバース型

東京証券所の売買ランキングでは売買代金上位10のうち7銘柄が、レバレッジ型やインバース型です(2022/4/30時点)。

レバレッジは「てこの原理」の「てこ」を意味します。借入を起こしたりして、合成的に何倍かの動きをするように設計することです。「レバレッジ型」をイメージしやすい例は、日経平均株価が1上がった時に「ダブルレバレッジ」ならば2上がる設計を目指す、といった内容です。ダブルは×2ですが、×3のトリプル・レバレッジという設計もできますね。

インバースとは「反対の」という意味で、基準とする指数が下がると逆に上がる設計がされています。「インバース型」をイメージしやすい例では、日経平均株価が1下がった時に1上がる設計を目指すものです。「ダブルインバース」ならば2上がる設計をします。これから日経平均株価が下がると予想した時に、「下がると儲かる」インバース型に投資するわけです。

しかし注意する点があります。レバレッジ型もインバース型も、実は借入のコストや、株価指数先物取引等のコストがかかっています。毎日、前日比との計算を行います。指数が上昇・下落を繰り返すと、保有期間の上下幅と計算上のリターンとは大幅な乖離が発生します。長期投資には不向きといえるでしょう。

金融庁の新しいNISAでも、対象から除かれている条件に、レバレッジ等が記載されています。長期運用に適さないというメッセージでもあります。

『株式・投資信託等のうち、監理銘柄および整理銘柄に指定されているものと、ヘッジ目的等以外でデリバティブ取引による運用を行っているものは購入することはできません。』

## うまい投資話にはくれぐれもご注意を！ AIJ事件を振り返る

AIJ事件は「年金消失事件」として話題にのぼりました。

「運用実績は9年余りで収益累積245％」との触れ込みに、多くの年金基金等が運用を委託した結果、企業年金94団体等が焦げつきを出しました。

委託された資金約1,458億円の大部分が取引の失敗等で消失し、回収見込みは運用資産の約6％にあたる85億円。1,300億円以上の年金の資金が消失してしまったのです。

同社の勧誘に旧社会保険庁OBの関与、同社の運用は約90％のマイナス、同社は成功報酬の20％を受け取ったといった報道もありました。

### 紹介者の言うことを鵜呑みにしない

紹介者が金品を受け取っているために、熱心にセールスをしている場合があり、投資家の運用のために勧めているわけではない場合があります。

### 「お任せ」に過度に頼らない

企業の年金部門担当者には運用のプロは少ないでしょう。AIJ事件では投資一任契約（「お任せ」運用）を、厚生・企業年金基金と締結し、実態とかけ離れた高いリターンのAIJ運用の投資信託を買うように指図していました。「お任せ」したい心理につけ込み、勧誘をしたのです。

### 運用の内容を理解し、透明性の高いものに投資する

AIJ事件では同社が運用する投信の基準価額（値段）が虚偽報告でした。同社投信は非上場で投資家側では価格の検証が難しいといえるでしょう。

以下は、このような被害を受けないためのポイントです。

①資金管理は投資家本人が証券会社や信託銀行で行う

②ETF（上場投資信託）等透明性の高い商品を運用対象にする

③投信運用会社、一任業者でない中立な「投資助言業」のアドバイザーに運用の商品選択、投資助言をしてもらう

投資家自身が運用残高の把握を行い、セールストークに踊らされなければ、これほどの被害になる前に気づく可能性もあったと思われます。

# 9-8 チャートに騙されないで！よいイメージは作られる

商品の販売資料には、価格の過去の推移を表す「チャート」と呼ばれる図表が載っています。チャートから投資をするかどうかの判断をするためのコツがあります。

## A、Bどちらのチャートに投資をしたいでしょうか？

次のチャートA(上図)、B(下図)のどちらに投資をしたいでしょうか？

A

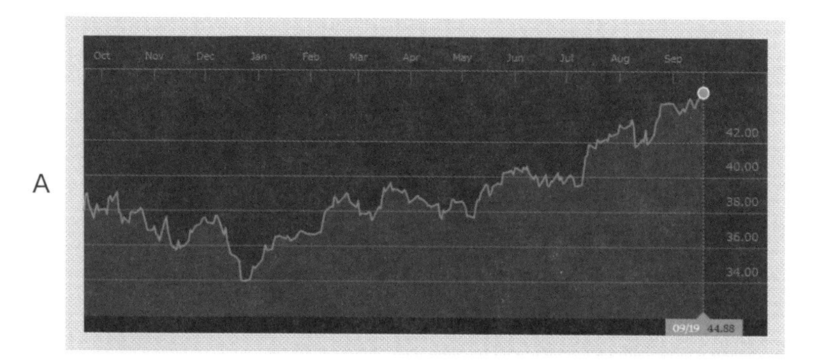


B

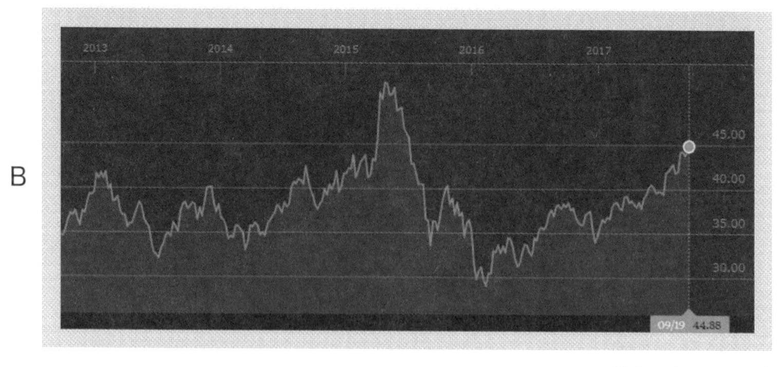


出典：Bloomberg（US）

多くの人はAのような右肩上がりのチャートに対して、安定した成長しているイメージを持ち、好印象を受けると思います。Bは上下の変動が大きく、投資の時期によっては失敗しそうな印象を受けるのではないでしょうか？

実はAもBも同じ銘柄です。Aは対象期間を1年、Bは5年の期間を表示したものです。随分印象が違いませんか？

顧客提案書を作成する部署では「見映え」がする資料の作り方を知っています。作成者は期間や起点を変えて見栄えする資料を作るのです。価格が低い所を起点にすれば、きれいな右肩上がりのグラフも作れます。

出典：Bloomberg（US）

チャートを見る時には、販売資料や販売員の持参したチャートの期間がどのくらいの期間なのか、特に下落した時の要因の分析を行ったほうが、銘柄に対する理解が深まると思います。

上場している証券やETFではこういったチャートを自分自身で入手することもできます。問題は債券等です。個人でBloomberg等の情報ベンダーの契約をしているとは通常考えられません。プロにしか調査できないデータソースのものは、自身で検証ができないので注意が必要です。

- **右肩上がりのチャートでも、期間を変えると姿が違うことも**
- **販売者側は「見映えのよい」チャート作りはお手のもの**
- **自身で検証できない商品には注意を**

9-9

# ヘッジファンド神話から覚めた投資家が知っていること

「絶対リターン」〜相場が下落した場合もヘッジファンドで安定的なリターンが得られるという、右肩上がりのグラフを信じた人に知ってほしいことがあります。

## ヘッジファンド販売は「特別な人に絶対的なリターン」だった

ヘッジファンド(HF)は著名な「スター運用者」が限られた投資家向けに、その特別な運用手法を用いて安定的なリターンを提供する、といったイメージによる販売が行われていました。「一般人ではアクセスすることができない、限られた富裕層向けの運用」という触れ込みが顧客の心をくすぐったように思います。

そしてヘッジファンドの特徴の1つが「絶対リターン」でした。相場が下落している時でも、安定したリターンが得られるというものが多く見受けられました。

よく販売資料で用いられていたものが「ヘッジファンド指数(以下、HF指数)」のきれいな右肩上がりのチャートです。

前項で述べたきれいなチャートの印象作りはもちろんあるのですが、投資家の多くが注意しなければならないことがいくつかあります。

## ヘッジファンド指数や販売担当者を信じてよいのか

ヘッジファンド神話を妄信する前に知っておいてほしいことがあります。

日本銀行信用機構局・金融市場局が2005年7月に出したレポート「ヘッジファンドを巡る最近の動向」の内容です。コラム(BOX3)に記載されている「ヘッジファンド指数およびデータベースの抱える問題」で指数やデータベースの限界を指摘しているもので、一部を紹介します。

バイアスとは偏りがあることを指します。HF指数には、低収益のヘッジファンド、消滅したヘッジファンド、活動停止したヘッジファンド、精算しようとしているヘッジファンドといった、いわば成績の悪いヘッジファンドのデータが反映されていない可能性があるのです。また過去の成績は、直近の最もよい収益率の期間での報告が認められていました。そして第三者によるチェックが行われていないというのです。これでもまだHF指数・ヘッジファンドの神話を信じますか？

**ヘッジファンド指数を信じる前にバイアスの理解を**

| バイアス・問題点 | 内容説明 |
| --- | --- |
| 生き残りバイアス | 低収益率のため(HF指数あて)報告を行わない<br>すでに消滅したファンド・活動を停止したファンド等のデータが勘案されず、指数が実際よりも過大評価 |
| 遡及バイアス | 新たなヘッジファンドが加わる場合(中略)直近の最もよい収益率を達成した期間のみを報告することができる |
| 精算バイアス | 消滅しようとしているヘッジファンドが、精算に至るまでの間、収益率等を報告しない可能性がある |
| 独立した第三者のチェックがない | 多くのデータベースの提供者は(中略)独立した第三者によるチェックを経ずにデータベースに掲載 |

日本銀行「ヘッジファンドを巡る最近の動向」(2005 年 7 月) 記載事項より記載内容を一部抜粋
RIA JAPAN おカネ学作成　©2022　おカネ学（株）

## ヘッジファンドのリターンは長期で低調

2017年～22年までのヘッジファンドのリターンは約8%程度でした。一方同期間のS&P500指数のリターンは約14%でした。高いコストのヘッジファンドのリターンが低かったのです(出典：ユーリカヘッジ・ヘッジ・ファンド・インデックス)。別の指数では、HF指数(HFRX)を算出しているヘッジファンドリサーチ(HFR)によると、2017年上半期までの過去5年間のヘッジファンド業界全体のリターンは年1.9%ということでした(出典：Bloomberg)。また、ヘッジファンドのリターンは米国の代表的な株式指数を下回っています。「2009年以降は8年連続でS&P500指数の騰落率に届いていない」のです(出典：ユーリカヘッジ)。

そして、ヘッジファンドの残高は2017年に約3兆ドルで、約4兆ドルのETF残高に抜かれました。2021年10月にヘッジファンドの残高は4兆ドルを超えたものの、ETFの残高は2021年12月には8.8兆ドルですから、その差は歴然です。

## ヘッジファンドの「2：20」モデルに投資家メリットはあるのか

ヘッジファンド業界では「2：20」モデルと呼ばれる報酬モデルが一般的でした。これの意味するところは、運用残高の2%を管理手数料として受け取り、さらに値上がり益の20%を成功報酬として受け取るというものです。かつては投資開始時に3～5%の販売手数料を支払うケースもありました。これだけの手数料を支払って投資家にメリットがあるのでしょうか？　おカネ学的見解では、「高いコストは投資家リターンを下げる」のでETFの方が優れた商品と考えています。

## 成功報酬は顧客本位なのか

運用の値上がり益の、たとえば20%を徴収する「成功報酬」という形式があります。「運用に成功しなければ、報酬を払わなくてよいので、一生懸命運用をするはずで、投資家のためになるはずだ」という考え方があります。成功報酬について情報提供をしたいと思います。

**「ハイウォーターマーク方式」**で成功報酬を支払うヘッジファンド等があります。ハイウォーターマークとは貯水ダムでいう、「最高水位置」をイメージするとわかりやすいでしょう。スタートした時点を超えて運用益が出て初めて、運用益部分が成功報酬の対象となります。

運用者であるファンド・マネージャーとしては極めて大きなインセンティブになります。なにしろ、顧客の儲かった部分の20%を報酬で受け取ることができるのです。

このハイウォーターマーク方式で、2つのケースを考えてみます。1つは順調に儲かった場合です。投資家は儲かった部分の2割という多額を報酬として払い出します(Cash Out)。投資家はさらに利益の20.315%を所得税として支払う必要もあるかもしれません。

2つ目は元本を割り込んだ場合です。仮に100で運用開始したものが65まで落ち込んだとします。運用者が65を100まで戻す運用に対してインセンティブ(メリット)があるでしょうか？　ハイウォーターマークを超えないと成功報酬がもらえません。そこで運用者はそのヘッジファンドをクローズしたり、あるいは他のヘッジファンドを立ち上げたり移籍したりします。従順なファンの投資家は「スター」ファンド・マネージャーを追いかけて既存のヘッジファンドを解約し、次のヘッジファンドに移ったりしていました。

**成功報酬、ハイウォーターマーク方式とインセンティブ**

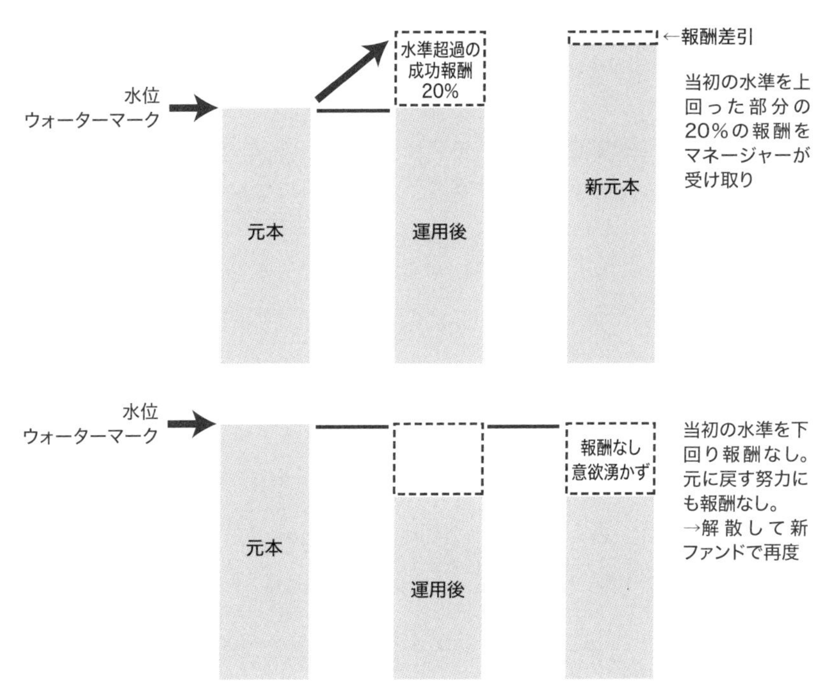


RIA JAPAN おカネ学作成　©2022　おカネ学（株）

9

これは運用者にとってはメリットがたくさんありますが、投資家にとってのメリットはどうでしょうか？運用者の傾向を挙げたいと思います。

**・運用者は短期的視野で成功すればよいという考え方を選択しやすい**
**・運用者は一攫千金を夢見て、リスクの高い運用を選択しやすい**
**・運用者は運用失敗にもダメージはなく、投資家の資産は目減りする**

いかがでしょうか？　ヘッジファンド運用者は投資家思いなのでしょうか？　著名投資家のウォーレン・バフェット氏は、ヘッジファンドへの投資で世界の投資家は「過去10年で1000億ドルは浪費している」とコメントし、世界有数の機関投資家である**カルパース**もヘッジファンドから資金を引き揚げ、**低コスト投資へシフト**をしているのです。

**・消滅したヘッジファンドを含まないHF指数を過大評価すべきでない**
**・ヘッジファンドの報酬「2：20」モデルは高コスト運用**
**・世界はヘッジファンドからETF等低コスト投資へシフト**

**所長コラム**

## 手数料の安いファンドの勝率が高い？

モーニング・スターのラス・キンネル氏が、手数料とリターンについて興味深いデータを発表しました。

**・手数料が安いファンド（下位20％）の勝率→62％**
**・手数料が高いファンド（上位20％）の勝率→20％**

2010年から2015年の間にベンチマーク（基準）に対して上回った割合を出したところ、手数料がファンド中で下位20％という「コストの安い」ファンドは、ベンチマークを上回った割合が62％でした。

しかし、手数料が上位20％の「コストの高い」ファンドがベンチマークを上回った割合はわずか20％しかなかったそうです。

所長コラム

## 安全資産のリターンの低さは金融庁も指摘

投資初心者に向けて、販売者から「安定型のファンドラップなら安心です」とセールスされるかもしれません。

安定型といわれるファンドラップで、国内債券ファンドやヘッジ付き先進国債券ファンドの組み入れ比率が高い場合には注意が必要です。

こうした**安全資産が多いファンドラップはコスト以上のリターンを上げにくいと金融庁が指摘**しているのです。

以下の文章は、金融庁「資産運用業高度化プログレスレポート2022」からの一部抜粋です。解説と太字処理はRIA JAPANによるものです。

> ファンドラップのコストは全体で年率1.5%以上のものが多い一方で、現状の低金利環境下で**安全資産が1.5%を上回るリターンを上げることは難しい**と考えられる。

解説　安全資産のリターンで1.5%以上が見込めない現在、安全資産部分に対する運用コストが1.5%以上であれば、マイナスリターン「逆ザヤ」となるということです。

> 安全資産部分については「逆ザヤ」となっているファンドラップが多く、**特にパフォーマンスの悪いファンドラップでは、安全資産の組入れ比率が高い傾向**にある。

解説　安全資産部分が逆ザヤなので、国内債券など安全資産に多く配分されているファンドラップは、リターンが低迷することになるのです。

9

9-10

# 世界的な流れは「販売者側」から「寄り添うアドバイザー」へ

世界の富裕層は販売者に手数料を払うことを止める傾向です。販売を行わない「顧客に寄り添うアドバイザー」から、中立な立場の金融アドバイスを得ています。

## セールスマンの目的は顧客の資産運用の成功か、自身のノルマ達成か

証券会社の営業員等に、勧められるがままに投資対象を選ばないでほしいと思います。営業員にとって有利なように情報を流すことで、営業員の成果に結びつけようとしている場合があると考えられるからです。

会社員は会社の事業への貢献が求められます。証券会社の例でいえば、投信の手数料や信託報酬、証券取引手数料等の収入増加をノルマとして与えられているケースが多く存在していました。

ここで冷静に判断してみてください。セールストークはお客様＝投資家にとってプラスになる行動でしょうか？　投資家のリターンを大まかに「運用成果－投資コスト」と考えてみます。投資コストが余計にかかれば、投資家へのリターンは下がります。「販売者」と投資家は「利益相反」の関係であることが多いのです。

## コミッション型担当者と顧客の利害は逆方向

「販売者側」の立場にある担当者の報酬体系は、多くが「コミッション型」です。投信の事例でいえば「販売手数料」、株式の事例でいえば「売買手数料」によって得られる収益が「コミッション」です。コミッション型の特徴は、高いコストの商品を売ったり、取引頻度が上がれば収益が上がることです。

日本の投信で回転売買が常態化した大きな要因は、金融機関の担当者が

「販売者側」で「コミッション型」報酬であることだと考えられます。

一方、投資家の立場から見れば、支払う「コミッション」が大きければ投資家のリターンの低下につながります。

「販売者側」「コミッション型」担当者の収益は、投資家が負担するコストです。コミッション型が儲かっている時には投資家は損をし、投資家がコストを負担しなければコミッション型担当者の収益は上がりません。投資家とコミッション型担当者の利益は相反しているのです。

**ビジネスはコミッションからフィーベースへ**

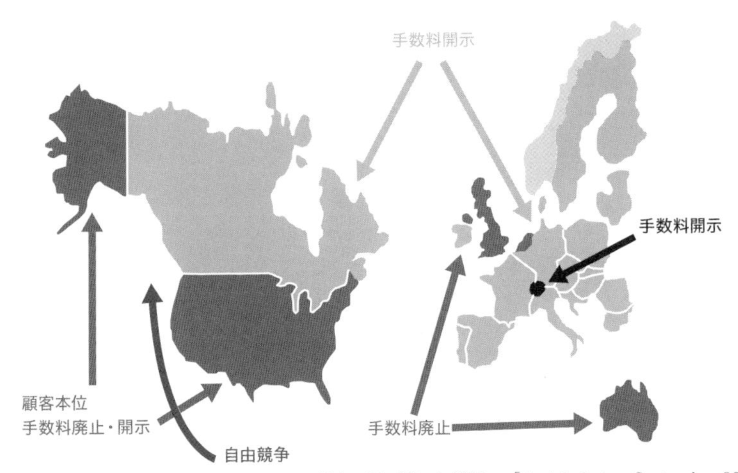


出典：BlackRock ETF s 「A global view September 2016」
和訳：RIA JAPAN おカネ学



## 世界の潮流はコミッション廃止・情報開示へ

**英国、オーストラリア等は、金融商品を販売することによるコミッションの受け取りを全面禁止**しています。米国では、取引時の販売手数料を目的としている担当者は敬遠される傾向にあります。投資商品の頻繁な提案は自分たち顧客のためでなく、「取引手数料」＝コミッション目当てである事実に顧客が気づいたからです。そして米国ネット証券大手のチャールズ・シュワブは「購入時に手数料のある投資信託」の販売を打ち切りました。

日本が中心になっていないので見慣れないかもしれませんが、この世界地図でわかるように、コミッション受け取りの禁止や、手数料の開示等、「お客様のためになる」原則を採択している国、地域が広がっています。日本の資産運用が独自の「ガラパゴス化」をしている状況が理解いただける世界地図だと思います。

## フィーベース型のアドバイザーは利益相反が少ない

コミッション型のビジネスモデルに対し、米国ではフィーベース型の契約が多くあり、これが家計資産の形成に役に立ったと言われています。

楽天証券、ブラックロック、バンガードらがメンバーの、「資産形成支援のあり方を考える勉強会」が2014年6月に発表した『個人資産形成の拡大に向けての提言』に記載された内容を紹介します。

「預かり財産の一定料率」を受け取る投資顧問業者があり、「こうした投資顧問業者は預かり**資産残高に比例して収入が増えることとなるため、投資家と利益相反が少な」い**ことが記載されています。

フィーベース型アドバイザーの報酬は、「顧客の契約残高」×「報酬料率」となっており、コミッションを受け取らない形態です。

### RIA（投資助言）と利益相反

**手数料（コミッション）を目的にしないRIAの「契約残高×報酬料率」は利益相反が少ない**

米国においては投資顧問業者の大半がその規模に関わらず投資運用サービスを提供している。なお、証券取引委員会登録の投資顧問業者の95%以上が預かり資産の一定料率を手数料として徴収している。

こうした投資顧問業者は預かり資産残高に比例して収入が増えることとなるため、投資家との利益相反が少なく、投資家の資産形成に資する金融商品・ポートフォリオを選択する傾向が強まると考えられる。米国において証券等への投資が活発である要因の一つとして、このような投資顧問業者が投資家の資産形成に役立っている点は見逃せない。

出典：資産形成支援のあり方を考える勉強会「個人資産形成の拡大に向けての提言」（2014年6月10日）

## フィーベース型のアドバイザーと顧客利益は同じ方向

実例で考えてみましょう。コミッション型担当者は、①投信の販売手数料を受け取る、②頻繁に売買する、③為替手数料等で高い手数料を受け取った時に収益が上昇します（メリットあり）。

顧客は①、②、③のいずれの例もコストを負担するため、資産残高が減少してメリットはありません。

### 契約残高×報酬率では顧客とフィーベース担当はWIN-WIN

| 取引 | コミッション担当者C | 顧客・顧客残高 | フィーベース担当者F |
|---|---|---|---|
| ケース①<br>C型　投信購入3%<br>3万円 | 販売手数料3万円 | 100万円－3万円＝<br>97万円 | 販売手数料受領せず<br>顧客残高減少<br>報酬減少 |
| | ○ | × | × |
| ケース②<br>C型　頻繁売買<br>2万円 | 売買手数料2万円 | 100万円－2万円＝<br>98万円 | 売買手数料受領せず<br>顧客残高減少<br>報酬減少 |
| | ○ | × | × |
| ケース③<br>C型　高コスト運用<br>運用益3%<br>コスト5% | 手数料5万円 | 100万円＋(3-5)万円<br>＝98万円 | 手数料受領せず<br>顧客残高減少<br>報酬減少 |
| | ○ | × | × |
| ケース④<br>F型　低コスト運用<br>運用益3%<br>コスト1% | 手数料なし | 100万円＋(3-1)万円<br>＝102万円 | 報酬1%　1万円<br>顧客残高増加<br>報酬翌年1.02万円 |
| | × | ○ | ○ |

※ケース③、④は1年間3%で運用の仮定。常にプラスリターン保証ではなく、税金等考慮せず
※ケース④は契約残高×1%、翌年報酬を1年間後残高×1%とした場合、売買手数料考慮せず

●コミッション＝C型
販売手数料、売買手数料等の頻度上昇で担当者収益は上昇
●フィーベース＝F型
販売手数料、売買手数料を受領せず、高コストのインセンティブは顧客、F型担当ともになし
顧客残高の増加は、顧客、F型担当ともにWIN-WIN

RIA JAPAN おカネ学作成　©2022　おカネ学（株）

フィーベース型アドバイザーは①、②、③のいずれの事例でも販売手数料や売買手数料、為替手数料といったコミッションを受け取らないのでメリットはありません。むしろ顧客が支払った手数料で顧客の資産残高が減ると、アドバイザーの報酬も下がることになります。

④の事例として、販売手数料のないETFを使って低コストで運用したケースを考えます。コミッション型担当者は販売手数料のないETFではメリットがありません。顧客は低コスト運用の結果、資産残高が増えてメリットがあります。フィーベース型アドバイザーは、顧客の資産残高×報酬料率（事例の報酬率は1%）を受領するため、顧客の資産残高が増加すれば、今後の報酬も顧客残高に比例して増加するのです。

顧客とフィーベース型アドバイザーは「顧客の資産残高増加」という同じ目標を持って、それが達成された時にメリットを得る形になっています。

**顧客が勝ってWIN状態である時に、フィーベース型アドバイザーもWIN状態となっています。**顧客とフィーベース型アドバイザーは、共にWIN-WINとなり、利益相反が少ない関係になっているわけです。

ただし、フィーベース型であっても、**コストの高いファンドラップの場合は顧客の受け取りリターンが低くなるケース**があります。注意してください。

## 米国の新しい対面チャネル、IFAとRIA

再び『個人資産形成の拡大に向けての提言』では、米国で個人投資家のすそ野拡大には非伝統的対面チャネルが果たした役割が多いことが述べられています。それは銀行、IFA、RIAの3つです。新しい対面チャネルとなっている、IFAとRIAについて説明します。

## IFAは実態は販売者で証券会社等に所属

1つ目は**IFA**です。IFAはIndependent Financial Adviserの略称で、**証券の取次者**です。日本でも徐々に広がってきた**IFA法人**は自称「独立系で中立アドバイザー」ですが、実態は**証券会社等に仲介を行う販売者**です。所属金融商品取引業者に取り次ぐ**金融商品仲介業者**です。**金融機関に所属してなければ仲介はできない**ので、契約している**証券会社の外部営業部門**といえます。

伝統的な証券会社からの自らの給料は限られています。店舗や多くの管理部門の人件費、退職者に対して支払う年金等の負担で損益分岐点の水準が高いからです。一方、対面チャネルを持たないインターネット証券系の仲介業者となる、IFAの利益は魅力的です。対面証券比で固定費が低いからです。

しかし**IFAの収益の源泉は、実際にはほとんどがコミッション**です。先の提言でも顧客の利益の最大化に資するアドバイザーの収入が、取引の頻度によって増大するコミッション収入に依存することは、適切な姿とは言い難いと指摘しています。

## IFAとRIA　米国で個人資産形成を支えた新たなチャネル



**米国では、銀行、IFA (Independent Financial Adviser)、RIA (Registered Investment Adviser) が個人投資家拡大に貢献**

4.個人向けアドバイザー制度の現状と問題点
(1) 個人向けアドバイザー制度の現状
米国では、個人投資家層のすそ野を広げる過程で、銀行、IFA (Independent Financial Adviser)、RIA (Registered Investment Adviser) といった非伝統的な対面チャネルが果たした役割が大きい。
(中略)
他方、現在のIFAの主要な収入源は、投資家が株式の売買や投資信託の買付を行う際に発生するコミッション収入が柱となっているのが実情である。特定の金融機関や商品に縛られることなく、顧客の利益の最大化に資するアドバイスそのものを付加価値として提供しようとするアドバイザーの収入が、取引の頻度によって増大するコミッション収入に依存することは、あまり適切な姿とは言い難いと思われる。

出典：資産形成支援のあり方を考える勉強会「個人資産形成の拡大に向けての提言」(2014年6月10日)

IFAは玉石混交でIFA＝顧客の味方、アドバイザーとのイメージは誤解が多い所です。トラブル頻発の仕組債の販売を行うIFAも多く存在しています。

## RIA、最も顧客本位を実現するWIN-WIN形態

2つ目はRIAです。RIAは、Registered Investment Adviserの略称で、日本では**投資助言・代理業者等**が当たります。証券関連の販売手数料や証券の売買手数料を受け取りません。RIAの収入の源泉は、契約者である投資家から支払われる投資顧問報酬です。

RIA：フィーベース型報酬でWIN-WINへ

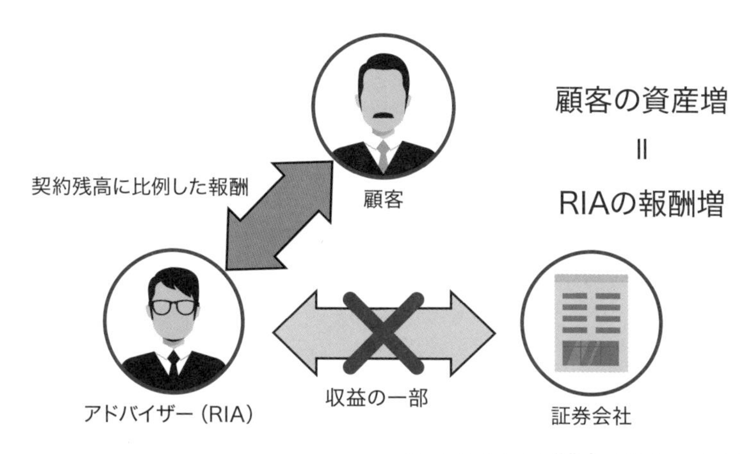


RIA JAPAN おカネ学作成　©2022　おカネ学（株）

米国のRIAの95％が「資産残高に応じた契約方式」を採用していました。投資家の資産残高に比例して収入が増えるため、**投資家の資産が増えるアドバイスが優先事項**となるわけです。従って投資家との利益相反が最も少ない形といわれています。そして顧客とRIAは共に顧客の資産残高増加という同じ目標に向かっているため、WIN-WINの関係を築くことが可能です。

## 米国ではRIA事業社（者）は3万1,334、日本は専業408

米国でのRIAの事業者*1は3万1,334者です。一方日本では証券会社やファンド販売を行う事業者が「投資助言・代理業」の登録を重複して受ける場合を含めて974事業者でした。重複業者を除くと408者しかありません。日本ではRIAの知名度がとても低いことも事実です。

顧客とWIN-WINが構築できる「顧客の資産増加に注力する姿勢」がまだまだ理解されていません。

米国をはじめ世界中で広がりを見せている「顧客本位のフィーベース型アドバイザー：RIA」の日本での拡大が待たれるところだと思います。



### 米国と日本のRIA事業者数

（出所）米国IAA INVESTMENT ADVISER INDUSTRY SNAPSHOT 2021

408
事業社（者）

（出所）金融庁　金融商品取引業者一覧にて投資助言・代理業として掲載の974事業者から第一種・第二種・投資運用業の登録も取得している業者を除いた数（2021年5月末時点）

RIA JAPAN おカネ学作成　©2022　おカネ学（株）

- **コミッション廃止、世界ではフィーベース型へ**
- **フィーベース型は顧客との利益相反が少なく、WIN-WIN**
- **フィーベース型RIA（投資助言業）が顧客本位**

*1 事業者の「者」は金融庁の報告書等で利用される表現。出所：米国／IAA「INVESTMENT ADVISER INDUSTRY SNAPSHOT 2021」、日本／金融庁「金融商品取引業者一覧」2021年5月末時点

## 索引

### 数字・アルファベット



### あ行



### か行



### さ行



### た行



### な行・は行



### ま行・ら行

## 重要事項

■本書に記載されている事項はあくまで情報提供を目的としたものであり、特定の金融商品等の勧誘、売買の推奨を目的としたものではありません。
■本書に記載されている事項は信頼できると判断された情報をもとに作成しておりますが、正確性、完全性を保証するものではありません。
■お客様が行う取引につきましては、組み入れ資産の価格変動リスク、発行体の信用リスク、価格変動リスク、カントリーリスク、流動性リスク等を伴います。
■従ってお客様の投資元本は保証されているものではなく、運用の結果生じた利益および損失はすべてお客様に帰属します。
■個別の商品の詳細、手続き等につきましては、各金融機関にお問い合わせください。
■本書に記載されている内容は主に2022年8月17日時点において作成されたものであり、法律、税制、制度、内容等は予告なく変更される場合があります。

■本書に記載されているウェブサイト、メールアドレス、電話番号は、事前の連絡なく削除あるいは変更されることがあります。

著者プロフィール

**安東　隆司(あんどう　りゅうじ)**

RIA JAPAN　おカネ学株式会社　代表取締役。CFP®。
日経CNBCなどのTVコメンテーター、海外ETF専門家、立教セカンドステージ大学元講師。
17年勤めた三菱UFJ銀行を皮切りに、三菱UFJメリルリンチPB証券(出向)、ソシエテジェネラル信託銀行と、メガバンク、外資系証券・信託銀行で計26年の勤務を経験。その後半はプライベートバンカーを務め、金融商品の運用に精通。販売手数料(コミッション)を目的にしない、世界的潮流である「残高対応方式 」(フィーベース)のビジネス(RIA)を行う、独立系・投資助言業(内閣総理大臣登録)を2015年立ち上げる。
著書に『元メガバンク・外資系プライベートバンカーが教える お金を増やすなら この1本から始めなさい』(ダイヤモンド社)など。
WEBサイト　https://ria-japan.co.jp/

**装丁**　古屋　真樹（志岐デザイン事務所）

**カバー・本文イラスト**　ななし

**NISA・つみたてNISA・iDeCo**
**プロの選び方教えてあげる！**

発行日　2022年　9月20日　　第1版第1刷

著　者　安東　隆司

発行者　斉藤　和邦
発行所　株式会社　秀和システム
〒135-0016
東京都江東区東陽2-4-2　新宮ビル2F
Tel 03-6264-3105（販売）Fax 03-6264-3094
印刷所　三松堂印刷株式会社




ISBN978-4-7980-6752-0 C0033